詩に問われ、
詩にみちびかれ

本多　寿
Honda Hisashi

書肆侃侃房

詩に問われ、詩にみちびかれ＊もくじ

日本の詩人たち（一）

日本の詩人たち（二）

日本の詩人たち（一）

寂寥の内部へ拓いた風景

伊藤桂一詩集『定本・竹の思想』ノート

詩人

ひとりの人間が石の国に誕まれていた
山も河も樹も草もみな石ばかりであった
なんというさびしいつめたい生活しかないのであろう
ひとりの　たったひとりの生きている人間は
毎日　樹や人や草や塀や石塊に至るまで
眼につくものすべてをその手でたたき
自分の言葉だけでかれらの石になにかをつたえようとつとめていた
百年も　或いはそれ以上もつづけてきたのだろう
石の国に住むひとりの人間が

石と区別されていることといえば
それは彼がすべての石に同じ愛情と真実とをもって
その胸を叩き叩き哭けることであった
泪はずいぶん深く豊かなものだ
その泪が石を濡らし石を蘇らすか
それとも遂には彼の泪も涸れたときに
また石の像がふえるか
どちらかだ　そのどちらかだ
石ばかりの国に夕陽の残照がみなぎり
哭き哭き石をたたいている彼の
石に映る影もまた　彼と同じに哭きながら
やっぱり石の影をたたいているのであった

この詩は伊藤桂一詩集『定本・竹の思想』に収められた一篇である。

初めて、この詩を読んだとき、私のなかに何か途轍もない寂しさが兆し、たちまち私を呑み込んでしまった。呑み込まれて初めて、その荒涼たる石の国に生きて哭いている一人の詩人の深い悲しみに伝染して、思わず哭いてしまった。

得体の知れない寂寥をまとった詩人が、自らの内にも充ち満ちている寂寥に堪えかねて胸を叩いているのだ。胸を叩いて哭くことだけが、唯一、石と人間を区別する証しというのである。なんという孤独であろう。

そして、「その泪が石を濡らし石を蘇らすか／それとも遂には彼の泪も涸れたとき／また石の像がふえるか／どちらかだ　そのどちらかだ」という切羽つまった低い叫びが洩れるのである。

その叫びが聞こえたとき、山川草木すべて石で、かつて人だった者もまた石だという隠されたシチュエーションが立ち顕れる。

「自分の言葉だけでかれらの石になにかをつたえようとつとめていた」詩人は、同じく「自分の言葉だけでかれらの石になにかをつたえようとつとめていた」多くの者が、いま「石の像」となって林立しているのだという認識に立っているからこそ、「すべての石に同じ愛情と真実とをもって」哭いているのである。「百年も　或いはそれ以上もつづけて」哭いているのである。

「石の国」は、ここで「寂寥の国」に変貌し、さらに、「言葉の国」に変貌する。そして「言葉の国」が「石の国」の暗喩として立ち顕れる。言葉は、言葉自体で存在しているのではないという認識が、作者の内に在るのだ。

だからこそ、「すべての石に同じ愛情と真実とをもって」接するように、すべての言葉に「同じ愛情と真実とをもって」接することができなければ、自らの存在もまた石になってしまうと思いつめているのだ。

いや、言葉を通して、寂寥に充ち満ちたこの世に在る、ありとある存在に向け、とりわけ寂しい存在である人間に向けて「なにかをつたえようと」胸を叩きながら哭いているのだ。

ここには、言葉への愛といえば軽々しくなってしまう何か、存在への愛といっても浅薄になってしまう何かが作者の胸の涯底に在る。あえて言えば、原始的な寂寥から、いまだ人間が分離していない状態、言い換えると、人間がようやく言葉を獲得しはじめ、物を名づけることを始めたばかりの状態がある。つまり、「物《モノ》」と「言《コト》」が未分化の状態にあり、言葉を獲得したものの人間は、一歩間違えば「物《モノ》」の側へ呑み込まれてしまいそうな不安の中に存在しているのである。

このあたりをしっかりと胸に畳んで、もう一篇の詩を読んでみよう。

樹との対話

最後に問うべきひとつの宿題を抱いて
樹の前に立っていた

すでに私自身は終っていた
あるいは私は単なる樹へ向う風であったかもわからない

樹を揺らし　それだけで
その重要な質疑の地点を通過したのかもしれない

ただ　記憶のなかに
聴いたかもしれない　あのときの
樹の発した声がある

かれはひとこと
「ここへ来たのは君だけではない」
といったのだ
「君はいちばん遅れてここへ来たのだ」
――と

樹は答えたのではなく
畢竟　わずかに揺れただけだろう
かれは背をゆすり上げるようにして

目を細めて　地平を見ていたのだ
私ひとりのほか　だれも来るはずのなかった
蕭索たる眺望を　樹は見ていたはずである

この詩を読むうち、私は先に掲出した「詩人」という詩が「石の国」に生きる詩人の荒涼たる内面を造形したのに対して、この「樹との対話」では「樹の国」に移り住んだ詩人の内面が、さらに痛切に造形されていると思う。

「樹の発した声」の「君はいちばん遅れてここへ来たのだ」という囁きは、先の詩の第一行目「ひとりの人間が石の国に誕まれていた」に呼応している。そして、作者が眺めている光景は「私ひとりのほか　だれも来るはずのなかった／蕭索たる眺望を　樹は見ていたはずである」とする感懐にある「蕭策たる眺望」である。

「蕭策たる眺望」というのは、詩人が哭き哭き「石の国」で石の影を叩いている、寂寥に充ち満ちた光景であろう。

それはまるで、「石の国」を逃れて「樹の国」に来たものの、やはり「石の国」と一緒だったというような思いが揺曳している。

それにしても、「すでに私自身は終っていた」という一行に見られる詠嘆の寂しさは、いったい何処からくるのだろう。

作者に「鳶の音楽」と題する他の一篇に「もはやエーテルになってしまったぼくそのものに酔いながら…」という一行がある。

作者の、この放心とも諦念ともとれる感情は、譬えて言えば寂光のごとく、すべての詩篇を覆っている。

寂光とは広辞苑によれば、静寂な涅槃の境地から発する智慧の光であり、涅槃とは梵語で吹き消すこと、消滅の意であり、また煩悩を断じて絶対自由となった状態などの意がある。してみれば作者はエーテルというか、すでに肉体を脱いだ魂そのものとなっているような気がする。

ここまできて、私は作者伊藤桂一がとらわれている底知れぬ無常観に突き当たらざるを得ない。ならば、その無常観は、何処からきたのであるか。

私が偶然手に入れた文章がある。伊藤桂一の『水の景色』という短篇集に勝又浩が書いた解説である。その中に『奇妙な思い』という作品から引いた次のような箇所がある。

……生きる力をなくしたのは、敗戦でもそのための徒労感でもなかったかもしれない。同胞であるべきものからの信じ難い無関心、抱き合って哭けない陰湿な当惑と狼狽のためではなかったのか、ということである。そうして、そのときぼくは、すべての理屈を越えて、互が抱き合って哭かない限り、敗戦からの正確な出発点が得られないのではないか、と、それだけは痛切に感じたのだ。ぼくたちはいつでもどこでも国家や民族のためには身を棄てる心情で生きてきた。戦いに敗れたことによってもそれは純粋に残されていた。ぼくたちは長い戦いを戦った報酬としてなにも欲する気はなかったが、しかし、だれかれの別なく同じ心情で通じあえる出発点だけは欲しかったのである。そしてそれが全く失われていたふしぎな空虚感、同じ国にいて互に断絶し合ってしまえることへの、どうしても問いかけたい質疑が、どこまでも尾を曳き鬱積してきたのである。しかもそのことは口に出しても滑稽な愚痴にしかならず、とうてい世間に通用するはずのものでもなかったのだ。

この文章を読むと、詩人が戦後、戦地から帰国したあと、どのような心情で生きていたかを知るよすがになりそうだ。

そして、この一文を引いて勝又浩は次のように述べている。

我々はかつてこのような声を聞いたことがあったろうか。少なくとも私などが、これが戦後文学だと教わり、信じこんできたもののなかには、片すみにさえこんな声は聞えなかったようだ。戦争文学、戦場帰りの文学はたくさんあったが、こんなふうに「質疑」を発したことばはなかったのである。

この箇所に出会ったとき、私は「樹との対話」の冒頭六行の意味をたどる足掛かりを得たような気がした。もちろん、戦争も知らなければ、おびただしい帰還兵が、戦後どのような生き方をしたかも知らない。知らないが、少なくとも、伊藤桂一が見た帰還後の日本の風景は「蕭索たる眺望」であったことは解る。

さて、ここで「絶景」と題する詩を、もう一篇読んでみよう。

絶景

ひっそりと抱きあったまま
谷底へ墜ちてゆく蝶
無常なほどにも美しく
そこに湛えられている深淵

その上でひらりと別れ

こんどは絶壁に沿うて

なおも相縺れして　のぼってくる

この詩には、もうはっきりと末期の眼差しが感じられる。どこか死を覚悟している作者が「谷底へ墜ちてゆく蝶」を見ている。「そこに湛えられている深淵」とは、まさしく死の淵であろう。その死の淵の上で「ひらりと別れ」た蝶が「こんどは絶壁に沿うて／なおも相縺れして　のぼってくる」のである。

まるで、近松の心中劇の一場を見ているようである。

「ひっそり抱きあったまま／谷底へ墜ちてゆく蝶」に、絶壁から身を躍らせた男女の姿を彷彿とさせられ、「こんどは絶壁に沿うて／なおも相縺れして　のぼってくる」蝶の姿には、もはや谷底に転がる死体から脱け出した男女の魂だけが絶壁をのぼってくるとしか思えない。

ところで、この詩については作者伊藤桂一が「詩から散文へ」と題する詩論の中で、概略、次のように述べるところがある。

「戦後復員してきたが、文字どおりの飢餓にさらされていたうえ、満七年に及んだ戦務に消耗して、生涯でもっとも厭世的な心情にあり、どこかで生を放棄してしまおうとさえ考えた時期……要約・筆者)」

そして、続けて述べる。

「このころ、自分を自分で放棄してしまいそうな不安と闘うために詩を書き、詩を書くのでさらにその不安を濃くするという、悪循環の中に陥ち込んでいたようです。そうした中で「絶景」という短い作品をまとめました。

ひっそり抱きあったまま
谷底へ墜ちてゆく蝶
無常なほどにも美しく
そこに湛えられている深淵
その上でひらりと別れ
こんどは絶壁に沿うて
なおも相縺れして　のぼってくる

これだけのもので、一見叙景のようですが、そうではなく、私にとっては、自分が落ち込んで行きそうな奈落を、自分へのせめてものはなむけに美的に歌ったものであります。

私はこの詩を得たときに、この詩の行手を探求してゆけば、まちがいなくひらかれるに違いない詩の世界を予想しました。その代り自分を殺してしまいそうな危険をはっきりかんじました。これ以上進むとあぶないという本能的な警戒心が目覚めたわけです」と。

作者は、まさに絶壁に立っているのである。詩論では行が空けられていないが、詩集では一行置きに行が空けられている。まさに詩の余白は深淵が覗いている絶壁なのである。こうして作者の詩への思いを理解した上で改めて読んでみると、「ひっそり抱きあったまま／谷底へ墜ちてゆく蝶」も「相纏れして　のぼってくる」のも生と死の譬喩なのだ。そして、先に引用した詩論は、次のような展開を見せる。

「詩というのは、こうした、生命の不安な、そして危険な状態における実りを尊しとすべきですが、そのために自己を犠牲にすべきかどうかに迷わざるを得なかったわけです。そうして私は、この地点から、少しずつ引き返し、自分の眼を、しばらくは危険なものに向けさせないために、そこで習作的な散文に手をつけはじめたことになります。

この危険な地点から引き返すということは、いってみれば自ら、詩人としての失格を宣言するものでもあったわけです。一種の挫折感だったと思います。そうしていったん引き返しはじめると、今度は意志してもなかなか元の危険な地点へはもどれず、引き返した故にかえって死の危険を恋う、という奇妙な心理の中で、その後の散文の習作を重ねました。散文の積み重ねによって深い崖のふちにいたときの、あの危険な場所へまで、のぼりつめたいという衝動をもったわけです。矛盾しているようですが、こういう状態で、戦後初の、すべてやり直しの、散文への傾倒がはじまったわけであります。」

しかし、この文章からも窺えるように作者伊藤桂一は、生得的に詩人なのである。その後、散文に移るが、やはり危険な詩の世界へ戻ってくる。しかし散文を捨てることなく、詩と散文の世界の両方で身を削るのである。

「石の国」で胸を叩き、哭きながら、「さびしいつめたい生活」を生きる人間の深淵を覗いてしまった詩人は、それらの人間の代弁者たろうとしているようだ。詩の世界においても散文の世界においてもである。つまり、自らの内にある寂寥や虚無との切羽つまった対話を通して、他者の内にある寂寥や虚無に至ろうとする意志力によってである。

私は、これを詩人伊藤桂一が寂しさによって鍛えた〈愛〉の方法であり、詩精神であると思っている。

少し視点を変えてみよう。

先ず、かつて蔵原伸二郎が、その著『東洋の詩魂』において述べた次の箇所を読んでみよう。

人間の存在意識は孤独につながる。孤独の本質は自由であり、自由はつねに普遍的実在としての寂寥の海に浮かんだ、はかなく明滅する灯である。そうして寂寥の形容は無である。存在とは、この無の深淵に眼まいしないための持続する抵抗意識である。だから意識の生物である人間は日常経過の空間的すきまにあらわれるこの寂寥におちこみ、何ともあいまいな非理性的な世界を識るのである。しかも我々は究極において、肉体としても精神としても、この寂寥に吸いこまれざるを得ない。死が抵抗のつきた形であらわれるのである。…（略）…人間の実存性と本質性からくる人間の情感の世界は、無常性、虚無性の無限定な海に浮かんだ船であることを、本能として知っているのである。業である。そこから限りない淋しさが漂ってくる。

書き写しながら私は、この蔵原の文章が指示しているものが、伊藤桂一の詩にも適応するのではないかと思っている。

そして、ここまできて「石の国」で「哭き哭き石をたたいている」伊藤桂一の叫びが、ふたたび私の胸の奥にも存在する深淵から立ちのぼってくるのを聴く。

さらに、もう一篇の詩を読んでみよう。

淵

静かにたくわえながら淵となる
澄みさだまり　けっして動かない
この豊量のなかに棲む樹木の倒影がまたいい
しんしんと深まり
ひしと岩に均衡する典雅な圧力のなか
——ところで　遥かに遠く
あの甘い声で絶叫しているものは　なに？

ここでいう淵とは、もちろん水が深く淀んでいるところであろう。それも、汚れた水が溜まっているような沼や池などの淵ではない。

傍らに流れはあるのだが、文字通り川の紆余曲折によって生じた淵なのだ。

そのために汚れのない水をたくわえた淵なのだ。

透明な水が厚みをもっている淵なのだ。

水底まで透けて見える淵なのだ。

「澄みさだまり　けっして動かない」淵なのだ。

この淵は、いわゆる明鏡止水の明鏡だ。その明鏡たる淵を取り巻いているのは樹林であろう。その樹木が淵に逆さに映っているのだ。したがって、「しんしんと深まり／ひしと岩に均衡する典雅な圧力」というのは、「澄みさだまり　けっして動かない」水面に映っている樹木の影の圧力であろう。影に重みがあるはずはない。しかし、詩人の想像力は、その樹の影に、あるかなきかの重みを察知しているのだ。

さらに言えば、作者伊藤桂一は樹木にも魂の存在をみとめていることだ。そして、どこかに、淵の面に映る樹影に己れ自身を重ねているのではないなだろうか。

ところで、鏡というものは、その裏に暗黒が貼りつけてある。そうでなければ、一枚のガラス板であり、鏡面は映像を結ばない。

ならば、詩のなかで、この明鏡たる淵の面が像を結ぶために、その背景には何が隠され貼りつけられているのだろうか。

それは、詩人の胸底にひろがる虚無であると思う。そしてそれこそが、眼前にある淵の暗喩として働いているのである。

ところで、深い断絶のあとの最後の二行、「――ところで　遥かに遠く／／あの甘い声で絶叫しているものは　なに？」とは何か。

私は、この声は「樹との対話」のなかにある「ただ　記憶のなかに／聴いたかもしれない　あのときの／樹の発した声」であろうと思う。

「ここへ来たのは君だけではない」
　といったのだ
「君はいちばん遅れてここへ来たのだ」

という、あの声である。そして、この声と向き合うのは、いつも水のほとりや森や林の樹のほとりであり、竹のほとりである。

　ひとを愛そうとすることだけを考えている
きびしく己れをとざし内部へ内部へと風景を拓いた

蝶も　雲の影もなく
視野の限りは茫々たる土の地平だ
もはやこの風景に人を迎えることの苛酷を想い
ことあるごとに微笑した――この内部への道をさとらせぬために

＊

自分だけで自分を理解する
たとえば樹木のごときものだ
少しの抵抗も拒否もなく
しかも決して屈していない
伐られればゆっくりと眠り込むように仆れる
仆れたらあとの空間になお自身の寡黙の実在を残せばいい

＊

ひとりひとり別れて行き

野の果てにぽつんと立った
ひとりひとり別れた人を想い
なるべくめぐりあわぬ方向へ歩んだ
遠ざかった――ほとんど忘れ切るくらいに

そしていま　かつてあったよりもはるかにあなたたちのほとりに近くぼくはいる――

この作品は「壮年」と題された詩の三、四、五連のみを抽出したが、ここに伊藤桂一の生き方のスタンスが特徴的に現われている。

私がこの世で学んだことといえば
自身をぐるりにどう美しく溶かしきるかということだけだった
青青と天にさざめく
竹の林をくぐりながら生きてきた
そうして今日も入陽をみている
いつもと同じ悔恨の眼をして

これは、「竹のある風景」の「3」にあたる部分だが、ここには伊藤桂一が、まさしく「竹の思想」と名づけた思想がある。

そして、ここまで読んできて、私の思いはやはり冒頭に引いた詩「詩人」の「石の国」に回帰する。「石の国」が「樹の国」「竹の国」に変化しても、やはり「寂寥の国」であることに変わりはない。そして、そこには伊藤が見てきたであろう死者たちが寂光のなかで生きている。詩人は、それら死者たちとともに生きている。微笑をたたえてである。

伊藤桂一の詩のなかから実在として立ち上がってくる寂寥に、あるいは虚無に立ち合いつつここまで来た。

脳裡には虚無のさやぎが聞こえている。

私の視野は虚無で満たされている。

そして、視野の中央に微笑をたたえながらも「悔恨の眼」をした詩人が、寂寥の衣をまとって立っている。

詩集『竹の思想』に向き合うことは、詩人が向き合った虚無の淵に向き合うことだ。

そこに立ちこめた、途轍もない寂寥の霧につつまれることだ。

私は、無事に私に帰還できるだろうか。

二〇〇一年四月「貝の火」十三号

真田亀久代の世界

26

一

日南海岸の堀切峠を過ぎるとサボテン公園がある。太平洋に面した山の斜面に多種多様なサボテンが植栽されていた。海外旅行も今のように安易に行けなかった時代、南方をイメージして造られた公園だが、現在、往時の賑わいはない。

このサボテン公園をモチーフにして書かれた秀作がある。「サボテンの岡」と題する真田亀久代（一九一〇〜二〇〇六）の作品である。日南海岸の景物をモチーフに多くの詩を書いている。戦後、朝鮮から引き揚げて都城に住み、一時期、文芸誌「龍舌蘭」に所属した。

サボテンの岡

サボテンの岡には
イスラエルのむすめたちがいる

生き埋めの埋葬から
もだえて　はみだした足たちがいる
植物のようだが　じつは腫れた肉質

むすめたちは足で目を見ひらき
むすめたちは足で空をたたき
むすめたちは足で生きつづける

泥よりも重い涙を泣きかねて
青い胆汁でみたされてしまった
ゆがんだふくらはぎ
ひきつったすね
うちわのようなレプラのあしうら

サボテンの岡にのぼって
堪えがたいとはいうな

毛根の針をまばらに残した
麻痺症のひざがしらに
赤とオレンジのリボンを結んで
やさしい約束を果せなかった
むすめたちが
だまって眺め入っている
ストロンチュウムにみちみちた海を
こわれる日もま近い
まるい大オルゴールを

エルサレムのむすめたちは
観光案内図をくれる

もうガスの匂いにもおびえはしない

足たち
ぬかれる髪はひとすじもない
足たち
足より他によりそうものをもたない
むすめたち
かわいい骨粉をなめずりながら
足は生え
足はふえていくだろう

むすめたちは足で目を見ひらき
むすめたちは足で空をたたき
むすめたちは足で生きつづける

詩集『安座』(一九七七年・矢立出版刊)

ここには一読、二十世紀に人間が引き起こした戦争による残虐行為への強い抗議がある。戦争の世紀を生きた女性詩人の未来への深い愛がある。

特に、アウシュビッツでのユダヤ人虐殺に対する真田の想像力のありように、ヒロシマ・ナガサキ・チェルノブイリ・フクシマなどに対する向き合い方を学ぶ必要がある。

追記（二〇二二年七月に）

ここで、真田亀久代の詩に共鳴する野田寿子（一九二七〜二〇一一）の詩「月経―アウシュビッツによせて―」を紹介しておきたい。

フランクル著作集Ⅰ『夜と霧　ドイツ強制収容所の体験記録』（霜山徳爾訳　一九六一年三月五日みすず書房刊）を読んだ夜、突き上げるように込み上げる女としての怒りを込めて、一気に書き上げたものという。

野田は、その詩集『黄色い鉄かぶと』（一九六三年　地球社刊）の「あとがき」で次のように述べている。

「…（前略）…現代と自分とがどこでひびきあい、にくみあうかを発見すること、詩がことばで、日本語で書かれる以上、どこまで生きたことばを使い得るか、あるいはことばを生かし得るかにすべてはかかっているだろう。ことばが、その人はいかに生きているかの証としてつらなることをおもえば、今更にきびしくほど遠い業をすら感じるのである。

本来なら、詩人野田寿子との対話応答が必要なのだが、今は真壁仁著『詩の中にめざめる日本』（岩波新書　一九六六年一〇月二〇日発行）に紹介された一篇を紹介するにとどめておく。

月経

——アウシュビッツによせて

——そこだけは
いつもじぶんがいるというかくれがを
おんなはもっている

そこにいけば
つかれたてあしに血がのぼり
とおいはじめや
とおいゆくてが
じぶんのまんなかをつらぬいて
よみがえってくる　ばしょを
おんなは　みんなもっている

そこにいるときは

めにはみえないおんなというおんなが
かさなりひびきあうのを
からだじゅうでかんじている

けれども　だれひとり
口にだしてはいわない

そこにとどいた根は
けっしてかれることがない

そこはだれもふみこめない――

扉をしめたそのとき
すべては終ったとおもったにちがいない
彼等ナチスの親衛隊ら

何回めかのガス炉おくりをおえて

オフィスマンのひけどきよろしく
明るい食卓をおもいうかべたか
彼等ヨーロッパの死刑執行人ら

ナンバー一、二、三、百、千、万
髪　肉　皮　骨　あぶら
のたうち　焦げ　とける
瞬間になお
まはだかの女たちのももを伝っていた月経を
見つめていた眼をごぞんじか
おみごとな合理主義者どの

——せかいじゅうのおんなたちが
ひそかな自分のばしょから
みつめていた

さからいつづけ

ゆたかなままで
いきたえた月経を

まっしろな眼をあけ
おんなたちは息をのむ
〃なんと！　むすこだ
自分たちをねらうのは〃
わかれて久しいむすこたち
むすこは母を忘れた
むすこはしらない
かつてかれらにつながり　かれらを守った
ひそかな母の場所を
女たちが生きのびたおくふかい場所を

おんなだけのかくれががだったのか
ここは……

せかいじゅうのおんなは
ガス炉に流れる月経をみつめ
　じりじりとたちあがる——

きこえるか
狩場のまんなかにあるいてくる
女たちの足音が

灼けはてた土地に
さまよう息子を呼びながら
創られた姿そのままに
歩きだした女たち

息子たちをうばいかえすのだ
息絶えた月経を
彼等にそそぎこむのだ

そこにしか女はいない
自分をとりもどしていく女たちに
もうかくれがはない

詩集『黄色い鉄かぶと』（一九六三年　地球社刊）所収

二

「サボテンの岡」に見られるような真田の批評精神は、いったいどのように育まれたのだろう。後年、日本のマザー・グースの一人と呼ばれた詩人の略歴を簡単に追ってみよう。

真田亀久代は日本が韓国を併合した一九一〇年（明治四三）に現地で生まれ、現地の小学校を卒業した十二歳の時に広島県立尾道高等女学校に入学。女学校を卒業すると韓国に戻り、京城師範学校を経て、慶北尚州小学校に勤務する傍ら、自由詩に興味を持つ一方、小学生の時に出会った「赤い鳥」に童謡の投稿を始めている。そこで「赤い鳥」の主要メンバーである与田準一、巽聖歌、新美南吉らから励ましの葉書をもらうようになり、鈴木三重吉や北原白秋らからも葉書をもらったという。「それらが、韓国の生活の中での唯一のなぐさめであり、励ましだった」（「まいごのひと」より）と述べている。そして敗戦の一九四五年、すべての蔵書を早稲田の学生だという韓国青年にゆずって帰国。

宮崎県南部の都城市に三十六年間暮らし、一九八二年に京都に移り住んでいる。

戦前に、幼年雑誌「コドモノクニ」の投稿仲間だった、まど・みちおと出会い、生涯にわたって深い交友をつづけた。また、「昆虫列車」（一九三七）の創刊同人として活躍する。詩集には童謡詩集『えのころぐさ』（一九七三年刊）『まいごのひと』（一九九二年刊・新美南吉児童文学賞・第二三回日本童謡賞）と詩集『安座』（H氏賞最終候補・一九七七年刊）がある。

「まいごのひと」という中国残留孤児がテーマの詩がある。読んでみよう。

まいごのひと

まいごのひとが　帰って来た
とおい中国から
三十年もたって

羽田空港は　しずかだった
あのジャングルからかえって来た
兵士を迎えるようには
ざわめかなかった

タラップをおりて来たひとは
はぐれた日のように
すこしおびえた　まなざしで
むかえのお姉さんに答えていた
とめどなく頬を伝う涙を
消えてしまったことばのかわりにして

まいごになった年《とし》とおない年《とし》の
三つの坊やの手をひいて
「ここがおとうさんの国だよ」と
中国語でかたりかけていた
はぐれたあの日までは
幼いやわらかい舌の上で
しろ蝶のように生まれはじめていた
かずかぎりない日本のことばが
はねをひらかないままで

消えていった
あの日をさかいにして

幼いまいごは
やがて
あたらしい父と母に出会った
あたたかい土のにおいのしみた
大きな手が
ひもじさとさむさから
まもってくれた
消えていくことばのあとに
新しいことばがふきかえられていった
お日さまも　空も　雲も　畠も……

まいごは　まいごであることをわすれ
泣きさけんだかなしい日をわすれ
あまえた父や母をもわすれた

まいごのひとがかえって来た
とりかえしもつかない三十年を
しずかにはにかんで……
やさしいひとにちがいなかった

みんなのかわりに
なにかを背負っているようにみえた
とても重そうな
みえない荷物のようにみえた
——日本の国のつぐないを
　ひとりでひきうけているみたいな
——みんなのための道しるべになって
　じぶんをさらしているみたいな

三

「敗戦と引揚げのあとで、わたしには詩が必要であった。／大きな衝撃と落魄の果てに、誘導路のように開けて見える、すぐれた先人の詩が、私を救ってくれた。…（中略）…自分の行く手に、人生の重いネガティブをじっと置いてみることで、日常生活の窮乏の重さに堪えた」と、詩集『安座』の「あとがき」にある。

真田亀久代は朝鮮から引揚げて以来、三十六年を都城で暮らしたが、この間、山川草木だけが信じられると思っていた節がある。自然は嘘をつかないからである。その自然を見据え、童謡詩を書くときも、自由詩を書くときも、その行く手に最も大きな人間の愚行である戦争を見ている。しかし、それは侵略国家日本の一員としての罪の意識と、生育地である故郷韓国への断ちきり難い愛憎のアンビバレントな思いに揺れている。

それはさておき、日南海岸の奇景をモチーフにした「鬼の洗濯岩」を読もう。

鬼の洗濯岩

どんな布が
おまえをこんなに損傷したのだろう

おまえの洗濯板を

牙で裂かれた白い布を
おまえは泣きながら洗いつづける
そして
汚れはおちたのだろうか

くらいふるさとの汚れ
たやすくはおちない汚れを
たたきつけては洗って
白い馬毛の毛布は
毛ばってちぎれて飛び散る

どんな汚れが
おまえをこんなに削りとっていくのだろうか
おまえのこけた頬を伝って
ごうごうと石鹸水が流れる

きょうも
くらい海のむこうから
すりむけたおまえの膝がしらをめがけて
うずたかい洗濯物が送られてくる
吠えるベルトにのせられて

骨を包んだ布
焼けあとのある布
かわいた血痕と弾あとのある布
そして　にぶ色の灰の汚れ
罪の日付のある
いっぱいの汚れが
水けむりをあげて
おまえの上にゆだねられるのだろうか

最後に、擬人化された「鬼」は、永久に泣きながら洗いつづける。故国日本の犯した過ちを。頬がこけても、膝がしらがすりむけても洗いつづける。洗っても、洗っても落ちない罪の数々を洗いつづける。自分の罪ではない罪を。真田亀久代も洗いつづける。

先に紹介した「まいごのひと」にも一貫している真田の態度が見てとれる。

四

真田亀久代は引揚げ前から宮崎県は住みやすいと聞いていたということで、特に縁故があったわけではないらしい。しかし、彼女のふるさとであって、彼女の国ではない朝鮮から引揚げて三十六年間も都城に住んだ。その都城をテーマにした「霧の街」という詩の一部を読んでみよう。

霧の街

この街の人たちは
霧の中で目をこすり
霧の中でねむりにおちた
霧は人びとの視角をさえぎり
霧は朝寝をゆるした

霧は街から時計台を奪い
時間はゆっくりと人びとの後を追った
追われることのない時針は
あとへ帰る日もあった

霧にぬれそぼった人たちは
ふきたまった火山灰土に
足をすくわれながら
砂紋の縞を伏目がちにあるいた

この街の人たちは
台地の安泰をむさぼって暮した
南の海からやってくる
暴っぽい客におそわれても
野鳥のように　そそくさと
羽づくろいするのがうまかった

霧の晴れ間には北西の空に
霧を名づけた
コニーデ型の山が浮きあがり
古い神たちが白衣をまとって現れると
幟を立ててひれ伏す一隊も通った

この街は霧の中で
うとうとと再び寝入る
対岸には撃たれて泣き叫ぶ声が続いても

岡の演習場のくさむらで
半日を並んで吹きならす
ラッパ手たちの行進ラッパが
蘇鉄のかげの養老院に
いたいたしい記憶をかきたてにいく

この詩には名峰霧島を望む風土に対する真田の認識が読み取れる。火山灰が降り、たびたび台風に襲われる暮し。しかし人々は「野鳥のように　そそくさと／羽づくろいするのがうまかった」という。戦後、宮崎は台風銀座と呼ばれていた。戦火に焼かれバラック建ての多かった暮らし。壊れた家も簡単に建て直しができた。貧しくても秀峰霧島山を望み未来に希望をつないでいたのだろう。だが見知らぬ引揚者に対しての排他的な視線があったことも窺われる。台風が去ったあとには積乱雲が古い神のように立ち上がるという把握。しかし、都城には大陸へ兵士を送りだした旧陸軍歩兵二十三連隊があった。今の自衛隊第四十三普通科連隊である。この駐屯地から行進ラッパが聞こえてくる。そのラッパの音が、嫌でも人びとの戦争の記憶呼び覚ます。とりわけ真田は敏感に。折しも朝鮮半島では朝鮮戦争（一九五〇年六月）が勃発。真田亀久代の中で戦争への憎悪と平和への希求がゆれる。

自著『詩の中の戦争と風土―宮崎の光と影』（二〇一五年八月十五日刊）所収

新川和江ノート

一、緑の思想、そして愛の思想

わたしは傷を…

わたしは傷を
けっしてうたおうとはしなかった
その傷口に貼るチドメグサを探しに
はだしで　雪の中へ
出かけていくちいさな娘だった　いつでも
その道のりと
もとめる葉の緑をうたった

雪の下には
去年の惨殺死体がある
醜聞にみちた都市や
ひよわな政府　さわぐ大学
すでに磁界を呼べなくなった弛んだコイルや
落ちた月　枯葉にうずもれた蒼白の便器
錆びた鎌……
それらを感じ
わたしの蹠《あなうら》は十字にいたむ

終らないだろう　わたしのうたは
終れないだろう　わたしのうたは
血は流れたが
とめどなく降る雪が
朱を蔽い　世界を蔽い　なおも外へと溢れ出すので
もとめる葉の緑は　いつでも
遠く　その先にあったので

この詩は、一九七四（昭和四九）年四月五日発行の詩集『土へのオード13』の巻頭に収められた一篇である。私は、この一篇の詩が新川和江という詩人の詩精神を、もっともよく表出しているのではないかと思っている。

その理由を述べることから筆を進めてみることにする。

さて、詩は三連から成っているが、私は、この詩を二連、一連、三連の順に読むと理解しやすいので、そういう読みをしてみたい。

雪の下には
去年の惨殺死体がある
醜聞にみちた都市や
ひよわな政府　さわぐ大学
すでに磁界を呼べなくなった弛んだコイルや
落ちた月　枯葉にうずもれた蒼白の便器
錆びた鎌……
それらを感じ

わたしの蹠《あなうら》は十字にいたむ
（二連）

しかし、この二連を読む前に、詩人自身の作成による年譜を参考に幼年期から少女期が、どういう時代だったかを見てみたい。

一九二九（昭和四）年生まれの彼女が、一九三七（昭和八）年、八歳のときに日華事変勃発。一九四一（昭和一六）年、十二歳の十二月八日には太平洋戦争勃発。明けて、一九四二（昭和一七）年四月、晴れて茨城県立結城高等女学校に入学したものの、校庭の開墾、甘藷づくり、農家への勤労奉仕に明け暮れ、やがて七つの教室がつぶされ、学校は、特攻機の心臓部品をつくる兵器工場と化した。

そして、一九四三（昭和一八）年、十四歳の時には大陸向けの毎日新聞に「朝露踏んで」を投稿。二作目からは特別の欄に組まれる。満州、北支、中支の将兵たちから、連日おびただしい数の便りが届き、村の郵便配達夫を一番に驚かせた。

さらに、一九四四（昭和一九）年、結城にも警戒警報しきり、一九四五（昭和二〇）年八月敗戦と苛酷な戦時下の記録が簡潔に記されているが、もちろん、この間、文学に目覚め、戦火を逃れて近くに疎開してきた西条八十の書斎に通うようになり、膨大なランボオ研究論文の浄書をいいつかるなど多大な影響を受けるのである。

そして、何と一九四六（昭和二一）年、十七歳で親戚同様親交のあった新川家の長男淳と結婚するのである。

本格的な文学的出発はその結婚後である。

それから、詩集『土へのオード13』発行の一九七四（昭和四九）年までの間、いわゆる敗戦から東京オリンピックを経て、日本が高度経済成長期に突入していくまでの、レッドパージや朝鮮戦争、安保闘争など、様々の社会情勢や政治情勢などとともに、戦中の経験などが明らかに二連の背後には控えている。

わたしは傷を
けっしてうたおうとはしなかった
その傷口に貼るチドメグサを探しに
はだしで　雪の中へ
出かけていくちいさな娘だった　いつでも
その道のりと
もとめる葉の緑をうたった

そこで、初めの一連に戻ってみると、そうした騒然とした時代にも彼女は蹠《あなうら》の十字の痛みに耐えながら「葉の緑」をもとめ、そして歌ったのである。
ところで、蹠《あなうら》の十字の痛みとは何か。
私の思うには、それは、詩人が背中に背負う十字架ではなく、ひそかに隠すように足の裏に隠した一人だけの十字架ではなかろうか。つまり、上昇機運に浮かれはじめた時代の裏で、再び、きな臭いものが醸成されはじめるのであるが、「それらを感じ／わたしの蹠《あなうら》は十字にいたむ」のである。しかし、詩人は血を流す自らの傷をうたわず、「傷口に貼るチドメグサを探しに」出かけていき、「いつでも／その道のりと／もとめる葉の緑をうたった」娘時代を想起するというふうに描かれ、三連の伏線となるよう構成されているのである。

最近、共同通信配信の新聞記事「おんな詩《うた》の鼓動」で読んだのだが、詩人はインタビューに応えて「現代詩は『この世は荒地だ』という考えに基づき出発した。痛みや傷をモチーフにした詩が主流だったけれど、わたしは違った。緑の野原をうたいたかった」と、きっぱり答えている。

終らないだろう　わたしのうたは
終れないだろう　わたしのうたは
血は流れたが
とめどなく降る雪が

朱を蔽い　世界を蔽い　なおも外へと溢れ出すので
もとめる葉の緑は　いつでも
遠く　その先にあったので
（三連）

幼かったとはいえ、戦地の兵士を励ましてきた疚しさもあるだろう。戦後の荒廃の中から生まれた荒地派への反撥も、女として、傷の向こうに、あるいは荒地の向こうに緑に芽吹く草の葉を信じ、夢みるところから出発することで、人間肯定のうたを歌うことを宣言した作品のように思われる。

そして、それは四十年を経たのちも詩人の中で変わらぬ思想として育まれてきたのだということを先のコメントは証し立てている。

それはさらに、「わたしは傷を…」の三連が、今日も変わらずに詩人のバックボーンであり、矜持でありつづけている証左でもあるだろう。

なぜなら、一見、平和に見える世界のありようは、今も変わらず血を流しつづけているからだ。

その意味で、この三連の詩人の痛切な願いは今もなお有効である。際限なく血が流れつづける世界にあって「もとめる葉の緑は　いつでも／遠く　その先に」しかないからである。

四十年を経て、なお新川和江という詩人は絶望的にならず、虚無的にもならずに「葉の緑」を求めつづけているのである。

これは、ひとえに新川和江という大いなる母性を備えた人の愛の思想と言っていいだろうと思う。

私は、この愛の思想を、新川和江さんの「緑の思想」と名づけたい。

そして、この緑の思想、そして愛の思想に照らして、作品世界を散歩してみることにする。

新川和江ノート

二、「るふらん」について

新川和江さんの詩集『絵本「永遠」』は、一九五九年（昭・三四）に出された詩集である。もちろん私は初版詩集で読むことはできないが、花神社から一九八六年に出版された『新川和江』（花神ブックス3）で、その作品の抄出を見ることができる。

実は、この本は、私が言いだして始まった宮崎での詩の勉強会「未完の会」のテキストに使わせてもらっているのだが、その中の「るふるらん」に出会ったときの感動を忘れることができない。

なにはともあれ、その作品を見てみよう。

るふらん

おじいさんはどこへいったの
山へ柴かり？

いゝえ　いゝえ　おじいさんはね
ひよわなおまえののどの奥で
夜どおし依怙地に鞴《ふいご》をふいている
だからぼうやは火のように熱いの

おばあさんはどこへいったの
川へせんたく？
いゝえ　いゝえ　おばあさんはね
ながいおまえの睫毛のかげで
ご先祖名入りのタオルを飽かずにしぼってる
だからぼうやは頬が濡れるの

桃のなかから　なにがうまれるの
ももたろさん？
いゝえ　いゝえ　桃からはね
にがい　にがい　ひとつの種子
パパとママがお前の耳のうしろへ落とした

だからぼうやは怯えて夜なかに目をさますの

自編年譜・作品年譜によると新川和江さんは一九二九年（昭・四）年生まれで、一九四六年（昭・二一）女学校卒業と同時に十七歳で結婚。九年後、二十六歳の時に男児に恵まれている。そして、「るふらん」は一九五七年（昭和・三二）に「葡萄」という詩誌の一二号に発表されている。そして、冒頭で述べたように「るふらん」を収めた詩集『絵本「永遠」』が出たのが、一九五九年（昭・三四）である。

一篇の詩を読むのに、なぜこのようなことを記すかというと、この詩「るふらん」が初めての子供の誕生を機に、若い母親と子供との出会いから子育ての時期に書かれたものであり、ようやく言葉の軒先に宿りはじめた子供の発見と驚きが、おそらくそのまま母親である新川さんの発見と驚きの日々であっただろうことを裏付けるがためである。

生まれて一年半から二年くらいで子供は言葉を獲得し始める。そして、この世のありとあらゆるものに対して疑問符を投げかけ始めるのも、この頃である。

母親に対して母親である新川さんは、昔話の「桃太郎」を語って聞かせたのであろう。もちろん一回きりではなく、夜毎子供を寝かせつけるたびに、この古典的昔話である「桃太郎」を語って聞かせたはずだ。その愛情のこもった反復の中から、子供の無垢な質問、「おじいさんはどこへいったの／山へ柴かり？」「おばあさんはどこへいったの／川へせんたく？」「桃のなかから　なにがうまれるの

／ももたろうさん?」が飛び出す。この子供の質問も、おそらく一度や二度ではないだろう。「桃太郎」を語って聞かせるたびに質問も反復されたことだろう。

こうした子供の無垢な質問というものに対して、大人である母親や父親は普通、とても困惑するものだ。新川さんといえども多分、大いに困惑したことと思われる。しかし、彼女は詩人である。こうした子供の質問の底にひそんでいる、存在の根源的な問いに気づき真摯に向き合っているのである。「おじいさんはどこへいったの／山へ柴かり?」と言う子供の最初の問いに「……おじいさんはね／夜どおし依怙地に鞴《ふいご》をふいてる／だからぼうやは火のように熱いの」という答えを用意する。

また「おばあさんはどこへいったの／川へせんたく?」と言う質問には「ながいおまえの睫毛のかげで／ご先祖名入りのタオルを飽かずにしぼってる／だからぼうやは頬が濡れるの」という答えを、さらに、「桃のなかから　なにがうまれるの／ももたろうさん?」という質問に「……桃からはね／にがい　にがい　ひとつの種子／パパとママがおまえの耳のうしろへ落とした／だからぼうやは怯えて夜なかに目をさますの」という答えを創造する。

この答えは、実際に子供とのやりとりの中で用意された答えでは勿論ないはずだ。無垢な子供の質問にとらわれ続ける中で、この質問に答えを出せるとすれば詩の形でしか答えが出せないと気づいてから創造されたものであるはずだ。

とまれ、この詩を私がどう読んだかを示さなければならない。

一連で「おじいさん」が「ひよわな」子供の「のどの奥で」「夜どおし鞴《ふいご》をふいてる」から「ぼうやは火のように熱いの」という表現に、私はその父親をあるいは母親を通して「おじいさん」の一徹な性格というか、依怙地で火のような性格が孫である「ぼうや」に受け継がれているというふうに解釈したい。いくらひ弱に見えたとしても、こどもが泣きじゃくるときの様子を昔から「火が付いたように」と表現するが、その激しさが「おじいさん」譲りだというふうに母親であり詩人である新川さんは認識しているのだ。

二連の展開も同じだ。「ぼうや」には火のような「おじいさん」の性格ばかりでなく「おばあさん」の涙もろい性格までが受け継がれているのだと言っている気がする。そして、この涙もろい性格は、もっともっと家系をさかのぼることができるという想像力を刺激させられる。なぜなら「ご先祖名入りのタオル」のせいだ。「飽かずにしぼってる」なんて言われると、目の前にいる「ぼうや」の頬を流れている涙は、一人「ぼうや」の涙だけでなく、ご先祖代々の悲しみが涙となって「ぼうや」の目から溢れでていいるとさえ思われてくるのである。また、その涙の川の遥かな流れさえ思われてくるではないか。この詩の隠された主題は「桃太郎」である。桃が川を流れてくる話だ。遥かな生命の川を流れてきた桃から生まれた桃太郎の話は、多くの母親たちによって、どれほど反復されてきただろうか。生まれては滅び、滅んでは生まれる生命の遥かな循環。この昔話「桃太郎」の反復と、生命の大いなる反復こそが「るふらん」というタイトルが暗示する一番のものであろう。勿論、詩の形式としても「るふるん」、つまりリフレイン（反復）の形式になっている。それにしても「るふらん」という音韻のなんと柔らかなことだろう。子供に向かって語りかける母親の唇から生まれでる言葉の温みそのものを表わしているようだ。

そして、最後の質問「桃のなかから　なにがうまれるの／ももたろうさん？」に詩人は答える。「にがい　にがい　にがい　ひとつの種子」を「パパとママがおまえの耳のうしろへ落とした」と。その「にがい　にがい種子」に怯えて「ぼうやは夜なかに目をさますの」だと。この「ぼうや」の「耳のうしろへ」落とされた「にがい　にがい　種子」とは何だろうか。この答えが「桃のなかから　なにがうまれるの／ももたろうさん？」という質問に答えるという形で提出されている以上、とうぜん答えは、桃から生まれたものが「ももたろさん」などではなく「にがい　にがい　ひとつの種子」ということになるだろう。

「にがい　にがい　ひとつの種子」は、実にさまざまなことを私に想像させる。月並みなことを言えば、これから先の人生で「ぼうや」に待ち受けている困難や悲しみ苦しみということになろうか。父親と母親の愛情によって望まれて生まれた子供とはいえ無事に何事もなく、その人生を平穏に全うできるとは限らない。

勿論、子供はまだそのことを知らないが、そうした困難や悲しみ苦しみが、すでに、これからの人生に隠されているという意味で、「にがい　にがい　ひとつの種子」が「耳のうしろ」、つまり目に見えない死角に「パパとママ」によって落とされたのである。

子供をもった若い父親と母親の、いとし子に対する苦い不安と願いまでもが感じられるではないか。

いずれにしても、誰もが子供に聞かせる昔話「桃太郎」を、このように新鮮に語り直した詩を私もまた子供に語り聞かせたいと思う。

新川和江ノート

三、「島」について

島

私はたまたま、ここに在る私を住処としたにすぎなかった。私はいずれ星を生きるであろう。土蜘蛛、木の枝のオレンジ、雉鳩、もしくは海馬を生きるであろう。当初の企画通りに。

私はしばしば、他人の島でも見るような遠い目付で、ここに在る私を眺めやった。そのようにしてうち眺める時、それは一層、たよりなげに揺れる虚ろな島であった。

それにしても私は長逗留をしすぎたようだ。あげくは統治者ぶって、わが物顔に島じゅうをのし歩きもした。ほんとうは、一日一日を日雇い人夫のように清算して、さばさばと帰って行くべきだったのだ。どこへ？　永遠のあの流れのほうへ。私はいつでも漕ぎ出せるよう、島かげの入江にカヌーを一艘用意していた。そうして、漕ぎ出そうと思えば、いつでもそれは漕ぎ出せたのだ。あの流れのほうへ。

私が、私の霊魂を一時期寄留させたこの島に、惻隠の情を持ちはじめた、といい出したりしたら、思わぬ長居をしたことへの、歯切れの悪い言い訳になるだろうか。こころもとなげなこの白い島を、せめて、檳榔樹の緑陰にいこわせてやってから離れることにしても、さほどの道草にはなるまいと思うのだ。来し方行く末合わせても、シュペルヴィエルの馬が、ひょいとうしろをふり向く程度のささやかな時間だ。

体臭をまぜこぜにして、ひどい馴れ合いに辟易しながら、尚しばらくは、私はこの島にとどまることになるだろう。
土蜘蛛、木の枝のオレンジ、雉鳩、海馬、もしくは星を生きるのは、それからのことでいい。それからのことでよいと、あの大河が呟くのだ。時に、申し訳のように漕ぎ出す私のカヌーを、おおどかな波で島へと押し戻して。

この詩を、どう読むかについては、細心の注意が必要であるように私には思われる。なぜなら、この詩の背後に流れる感情というのが、実に危うい感情であるからだ。では、その危うい感情とは何か？　それを読み取るのが、取りも直さずこの詩を読み取ることに他ならないと思う。
さて、この詩の導入部を見よう。

私はたまたま、ここに在る私を住処としたにすぎなかった。私はいずれ星を生きるであろう。土蜘蛛、木の枝のオレンジ、雉鳩、もしくは海馬を生きるであろう。当初の企画通りに私はしばしば、他人の島でも見るような遠い目付で、ここに在る私を眺めやった。そのようにしてうち眺める時、それは一層、たよりなげに揺れる虚ろな島であった。

「島」というタイトルを受けて始まる導入部を見ると、「島」というのが、「私」という「肉体」と「精神（魂）」を二つながら併せ持つ者の譬喩であることが見て取れるであろう。しかも、ここでの「私」は、とりわけ「精神（魂）」の別名であり自らの「肉体」を「島」に見立てて客観的に見ているという構図であろう。

まず、そういうふうに詩の中の「私」を想定してみると次のように読み取れるのではないか。「精神（魂）」はたまたま、人間の「肉体」に漂着したにすぎないという認識が、まず示される。「私はいずれ星を生きるであろう。土蜘蛛、木の枝のオレンジ、雉鳩、もしくは海馬を生きるであろう。当初の企画通りに」というのは、己れの預かり知らぬ力、つまり「当初の企画」によって、たまたま人間に生れただけで、もしかしたら何にでもなれたかも知れないという思いの反映が見て取れるだろう。

それにしても、「当初の企画」の何と曖昧でいい加減なことだろうか。「星」、「土蜘蛛」、「木の枝のオレンジ」、「雉鳩」、「海馬」の、何れにも限定することのない生命の「企画」。「私」が人間であることは、ほんの偶然にすぎないとでも言わんばかりである。

こうした認識が「私」の内にあるからこそ、「私はしばしば、他人の島でも見るような遠い目付で、ここに在る私を眺めやった。そのようにしてうち眺める時、それは一層、たよりなげに揺れる虚ろな島であった。」という展開がなされるのである。

このとき、「島」は単なる「肉体」の一元的な譬喩としてでなく、「精神（魂）」及び「肉体」の融合した離合不能なものとして、不安な眼差しによって眺められているのである。さらに言えば、「私」の二重性などという単純な構図の外に、第三者的な「私」さえも顕れているような気がする。深読みにすぎるだろうか。

さて、「たまたま、ここに在る私を住処としたにすぎなかった。私」は、その後どうなるのだろうか。このあと、意に反して「長逗留」してしまい、「私」という存在の隈々を「統治者」のように「わが物顔に」「のし歩きもした」「私」の後悔が語られ、不本意であれ「私」に留まるしかない「私」への肯定的な「惻隠の情」が語られるのである。

それは、「永遠の流れのほうへ」「ほんとうは、一日一日を日雇い人夫のように清算して、さばさばと帰って」行けない「私」、つまり、人間の「生」に対する執着や未練、愛や憎悪や悔恨やを引きずりながらも、この「島」（ここまで来ると「島」は、もう「人間」そのものの譬喩に転換している）に、「私」の「体臭をまぜこぜにして、ひどい馴れ合いに辟易しながら」も留まることを自らに言聞かせている「私」がいるのである。

ところで、「永遠の流れ」とは何か？　それは、大いなる生命の循環のことぐらいに解しておけばいいと思う。その「流れのほうへ」「いつでも漕ぎ出せるよう」「島かげの入江に」隠してある「一艘のカヌー」が用意してある。

人間は、誰でもこのような「一艘のカヌー」を持っているのではないだろうか。「一艘のカヌー」があるからこそ、日々の労苦を自ら慰めることができるのだ。あるべき自分を夢見るために漕ぎ出す「一艘のカヌー」こそ、一縷の希望を乗せる夢の器なのだ。そして最期には「肉体」さえも「私の霊魂」を乗せて「永遠の流れのほうへ」舟出する「一艘のカヌー」の譬喩となるであろう。

それにしても、この詩の中で考えられている人間の一生というものは、大いなる生命の流れからすれば、ほんの一瞬だという、言えば普遍的な死生観が底流として流れている。突如、「シュペルヴィエルの馬」が登場するが、この馬はシュペルヴィエルという詩人が書いた詩篇「動作」(movement)に拠っている。次の作品がそれである。

動作

ひょいと後《うしろ》を向いたあの馬は
かつてまだ誰も見た事のないものを見た
次いで彼はユーカリフスの木蔭で
また牧草《くさ》を食い続けた。

馬がその時見たものは
人間でも樹木でもなかった
それはまた牝馬《ひんば》でもなかった、
といってまた、木の葉を動かしていた
風の形見でもなかった。

それは彼より二万世紀も以前
丁度この時刻に、他の或る馬が
急に後《うしろ》を向いた時
見たそのものだった。

それは、地球が、腕もとれ、脚もとれ、首もとれてしまった
彫像の遺骸となり果てる時まで経っても
人間も、馬も、魚も、虫も、誰も、
二度とふたたび見ることの出来ないものだった

（堀口大学訳）

この詩を読んでいると、人間が永遠と思っているものさえ大いなる生命の流れからすれば、ほんの一瞬という気がする。

新川さんの「島」に登場する「私」もまた、最後にそのような認識に目覚めたようだ。だからこそ、「島」に留まることを「よし」とするのだ。

「土蜘蛛、木の枝のオレンジ、雉鳩、海馬、もしくは星を生きるのは、それからのことでいい。それからのことでよいと、あの大河が呟くのだ。申し訳のように漕ぎ出す私のカヌーを、おおどかな波で押し戻して」と詩が終わるとき、読者である私もまた、この世の生の岸辺に押し戻されているのである。私たちに与えられた生が、たとえ代り映えのしない日々の過ぎ行きの中を「体臭をまぜこぜにして、ひどい馴れ合いに辟易しながら」でも今しばらくは生きようという勇気を受けとめれば、この詩を読み取ったことになるのではないだろうか。

冒頭に危惧した、この詩に流れている危うい感情は、詩の終りに行くにしたがって救われているのである。

小さな自我に囚われていた「私」は、ゆるやかではあるが大いなる生命の流れの中の、実に些細な存在であることに気づくことで解放されていると思われる。

二〇〇一年二月のノートより

生きるために必要なよろこびのために

清水茂の世界

一、愛することだけが…

一月十六日（二〇二〇年）に詩人の清水茂（一九三二年生）さんが亡くなった。フランス文学者としても数々の業績を残し詩人としても静謐で深遠な作品を残された。その清水さんが残された多数の著作の中に『私の出会った詩人たち』（二〇一六年・舷燈社刊）がある。

この一冊を通して清水さんが証言したかったとして、ご自身が規範にしたというクロード・モネの「是非とも理解しなければならないかのように、誰もが議論し、理解するのだと言い張っている、ただ単に愛することだけが必要だというのに」という言葉を紹介し、「私は多くの先人の詩作品が願っているのもこのことではないかと思っています。作品に同意し、自らの衷に受け容れること。そうすることによって、それらの詩篇は、この暗い時代にあってなお、私に生きるために必要なよろこびを齎してくれたように思います」と述べている。

そして清水さんが書いた多くの詩も、私に「生きるために必要なよろこび」を与えてくれるものだった。呟くように囁くように語り、そして書かれた詩は穏やかで決して声高なものではなく、潤いが欲しいときに静かに降りそそぐ春の雨のようだった。数多ある詩篇の中から「詩」と題されたものを読んでみよう。

詩

もっと瑞々しくて、もっとまろやかな
味わいの果実を　あなたに
差し出したいといつも思うのに
私の手が触れるせいで　あの枝先のものとは
もう何から何まで違ったものになってしまい、
ほとんどそれはただの想い出のようだ。

あなたの手を引いて、「ほら、これがそうだよ」と
じかにあなたに摘んでもらうのが
いいのかもしれないと私は思っているのだが。

大地と根と　風と枝との
得も言われず睦まじい風情が
光を浴びでそこにあるのだから。

それなのに　あなたは私の手から
果実だけを受け取りたいと言う。きっと
私の慎ましさがどれほどのものかを
私が隠しつづけているせいではあるまいか。
それとも　あなたの身を置いているところには
同じような果実が見当たらないのだろうか。

ほとんど無数の果実、夏の日の　濃い葉蔭に
淡い赤紫いろと　同じように淡い黄緑いろとを
溶き混ぜた果実がたわわに実っているさまは
それだけで申し分のない世界そのものなのだが
私はそれをまるごと　差し出すことがいつかできるのか。

枝先に実った果実は、天地の間に現象する雨風や光に加えて果実を育んだ人の労苦や愛によって存在しているのだ。ここで清水さんが「まるごと」手渡したい果実は詩そのもの。私もまた「ほら、これがそうだよ」というふうに差し出す詩が欲しい。

二〇二〇年三月五日

二、前世とは、また来世とは

『清水茂詩集』（砂子屋書房刊）に「小さな話」という一篇がある。前世と来世について書かれた短い詩である。この詩に出会って以来ずっと気になっている。
まあ、先ずは読んでみよう。

小さな話

夜が明けると
木々の葉の緑がかすかに
黄金色に染まった。
消え残っている空の
淡い水溜りに

目醒めたばかりの
鳥の影が一つ映った。
私はまだいなかった。
それが私の前世だった。

私はいつ生まれたのだろうか、
私は知らない。

夢から醒めると
葉叢にみえる幾つもの果実が
夢の色に染まっていた。
暮れはじめた丘の
静かな窪みに
夢の向こう側で
眠っている獣の姿があった。
私はもういなかった。
それが私の来世だった。

私はいつ死んだのだろうか、
私は知らない。

少年期に、生まれる前は何だったのか、とか、死んだあとは何になるのかという話をよくしたものだ。こうした他愛もない話も、よくよく考えてみると、仏教にある輪廻転生という考え方が控えていたようだ。我が国に仏教が伝わってから次第に浸透してきたのだろう。親の因果が子に報いなどという言い回しが、ラジオから聞こえてくる浪曲などによって広まって、子供ならずとも何となく前世や来世を考えるようになったのだろう。

それにしても今や科学的知見に押されて、前世や来世を信じる者は絶滅危惧種と言っていいだろう。しかし、人は科学的知見だけで生きられないようで、時に、人は何処から来て何処へ行くのかと考えるもののようだ。このことは人をふくめた生物に付与されている生と死から逃れられないがゆえのことかもしれない。

いずれにしても人は、ふと来し方、行く末を想うものなのだ。

ところで、清水さんの詩を読むと、前世と来世のあいだに大きな隔たりはないように感じられる。つまり、前世も来世も現世と大して変わりがなく、波打ち際のように境がはっきりしない。まあ、前世も来世も地続きのものとして把握されているようだ。

ただ、この曖昧な概念のあいだに夢の世界が置かれている。よく「一期は夢」と言われる一回きりの人生だが、悠久の宇宙からすれば、うべなう他ない。

ギリシャ神話の兄弟神に眠りの神ヒュプノスと死の神タナトスがいる。死は永遠の眠りと認識されていたからであろう。

清水さんは、このギリシャ神話を意識していたかもしれない。

それにしても、生死という大きな問題をふくむ詩が「小さな話」と題されていることに驚かされる。だが、「小さな話」としたところが清水さんならではなのだ。

二〇二〇年三月十九日

三、詩人清水茂の詩精神をさぐる

一

昨年一月に亡くなった詩人でフランス文学者、清水茂さんの遺稿詩集『両《ふた》つの掌に』（土曜美術社出版販売刊）が、命日の一月十六日を機に奥様の須己さんによって出版された。

この詩集に「あとがきにかえて」として二〇一二年の講演「私にとって詩とは」が収録されている。

その中で、二〇一一年三月十一日に起きた東日本大震災の際に清水さんの友人でフランスの詩人イヴ・ボヌフォワが書いた「いま、この時」という詩の一行「絶望して死んではならないと私たちに言い遺すがいい」を引いて、「ボヌフォワ自身は九十歳になりますが、その人が私たちにたいして『絶望してはいけない』と言っているふうに聞き取ることができます。このことばを『言い遺す』というところが、いかにも詩人らしく、この世界はもはや絶望的だと言いそうなところで、なお踏み止まれと言っている感じがうかがえます」と述べている。

そして清水さんの遺稿詩集にも同じような思いを含んだ詩がある。「新しい星がひとつ」と題する次の詩である。

新しい星がひとつ

何処も彼処も　この星の上は
狂ってしまって、水も火も土も大気も
暴れまわっている。それを止めたいと
努めはしても　ひたすら願う他には
私たちに何の手立てもなく、一方で
そんなことにはお構いなしに
常軌を逸した者たちが　次から次へと
新しい精密機械や科学技術を誇らしげに
駆使して　私たちを破滅の淵まで

追いやろうとしている、手際よく、
いっそう素早く、ますます巧妙に、
「大成功！　これこそ人類の知恵」と。

否　私たちばかりか　動物たち、
植物たちをも追いつめて。海は荒れ、
氷山は崩れ、大地は熱を帯び、
浄らかだったすべてのものが
無惨に汚染されてゆく。いつから
そんなふうになってしまったのか、
彼らはそれだけが自分の生き甲斐と
言わんばかりに　夢中で競い合っている。
ほんとうは彼らは何も知らないのだ。

そのあいだに　何処かで
新しい星がひとつ生まれている、
広大な原初の夜の静かさのなかに、

あの星には何が託されているのか。

今、私たちは下死点に向かう文明を生きている気がする。そのような絶望的な状況の中でも、新しく生まれた星に「何が託されているのか」と問いを投げかける。問いの中にボヌフォワと同じメッセージを込めて。

二

清水茂さんの詩を読んでいると、清水さんが何を生の規範にしてきたかがよく分かる。既刊詩集でもそうだったが今回の遺稿詩集を見ると、人間をふくむ自然のありようが生き方の基底にある。そして、それは天変地異の中に存在する山川草木鳥獣虫魚のように謙虚で、人間の都合を優先しない生き方である。そんな生き方を最後まで貫いたのだ。

だからといって理不尽な世界のあり方に対して、乱暴で節度のない抗議をするのではない。驕らず高ぶらず、静かに微笑みながら、あるべき世界の姿を探っているのである。

遺稿詩集『両《ふた》つの掌に』に収録された一篇「唐突に　空が」を見てみよう。

唐突に　空が

唐突に　空が大地と衝突し、
雷鳴を轟かせて　激しく稲妻の刃で
斬りかかる。まるでこれは宇宙での
たたかいの一幕だ。すさまじい大波が
繰り返し上から叩きつけてくる。
そのために草も木も人もただ身を縮めて
時の過ぎるのをじっと待つが
いつだって捷利するのは空の方だ。

真直ぐに抛げ打たれる閃光の飛礫《つぶて》に
さまざまな地上の知恵が無惨に砕かれて
人は茫然とするが、草木の立ち直りは素早い。
よく見れば　地平の彼方からは
それでも　失われていた空の青さが
明るく吹き送られてくる、和解の余地は
まだ残されていると伝えたいかのように……
小川の上で　風のそよぎが歌いはじめる。

私たちは、特に台風や地震、津波や火山の爆発が頻発する国に住んでいるから、このような嵐の光景は誰しも身に滲みるだろう。

しかし、この詩で描かれるのは、それら自然の猛威によって混乱し右往左往する現代社会ではなく、台風の過ぎるのをじっと待っている草木である。そして対比されるのが「地上の知恵の無惨」、つまり、人間の手になるものの脆弱さと草木の強靭さである。

ここに、人間の思い上がりに対する戒めがある。人間の科学技術の行き過ぎに対して、空と草木の関係に見られる「和解の余地」を暗示する。清水さんの、こうした詩による暗示の方法に、私は深く共感する。

草木がもつ無抵抗の抵抗ともいえるありように学ぶことが多いからである。

とはいえ、核兵器に代表される原子力利用に歯止めのかからない世界の危機的状況は、これら空や草木にまで及んでいる。自然災害といえども人間の所業が加算されている。

三

清水茂遺稿詩集『両《ふた》つの掌に』を読み進めていくと、高校時代と大学時代に書かれた詩が収録されている。

高校生在学時より、ロマン・ロラン、ヘッセ、リルケ、ハイネ、ゲーテなどの翻訳で知られる片山敏彦（詩人・ドイツ文学者・フランス文学者　一八九八〜一九六一）に師事し、多大な影響を受けた清水さんの詩には、すでに晩年においても変わらぬ詩法と詩精神の萌芽が見受けられる。一九五五年夏、大学時代に書かれた詩「ヘルマン・ヘッセに」を見てみよう。

ヘルマン・ヘッセに

あなたの〈生〉は内への道であり、
あなたのお仕事は、私たちのもとに
ふるさとの野の消息を齎します。

この時代の狂気の中で、それでも
あなたは私たちに光への敬虔を語り、
この歴史現実の濁りの中で、なお
あなたは美しい音いろに笛を吹かれる。
そして　そんなあなたの上で、
風に流れる白い雲が、つねに
新たな旅立ちへの決意をします、

世界がつゞくかぎり……

そして、そんなあなたの内部で、
祈りが花咲きます——賢い運命のかゞやきをもって。
そして季節ごとに結実されます……

一九五五年・夏

清水さんは一九三二年生まれだから二十三歳。一九五六年に早稲田大学第一文学部仏文科を卒業する一年前に書かれた作品である。

ヘルマン・ヘッセの穏やかな作風をはじめ、片山敏彦の影響で心酔したロマン・ロランの平和主義・理想主義の影響も見てとれるが、清水さんに生来そなわっていた穏やかで愛に満ちた精神が表面張力を起こしているようだ。

ところで、一九五五年の夏といえば、日本の敗戦から十年後。朝鮮戦争の休戦から二年後で、我が国は神武景気に浮かれ、翌年には、もはや戦後ではないなどという声が上がっていた頃である。

この時期に「時代の狂気」と「現実の濁り」を察知して、ヘッセの語る「光への敬虔」に心を寄せ、そこに内在する「美しい音いろ」に耳を澄ませている。そして、さらにヘッセの内部で「祈りが花咲き」「季節ごとに結実されます」と美しい共感と信頼を示している。

この信頼と共感は、その後の清水さんの詩作において終生変わることなく続いた。その証拠に、清水さんの作品も「時代の狂気」と「時代の濁り」に対して「光への敬虔」を語る愛の詩を書きつづけたのだから。

二〇二一年二月朝日新聞連載「記憶の森から」に掲載

狐に託した祈り

なんばみちこ詩集『おさん狐』ノート

私たちが暮らす人間の世界は、当の人間が考えているほど住みよい世界ではない。それは昨今の世情を見回せば、誰しも頷かざるを得ないものであろう。

それでは時間のスパンを拡大して、地球上にヒトが誕生してから、武器を獲得し言葉を獲得して以来の歴史的時間の中において見てみたらどうか。

たとえ、そうした視野に置いてみたとしても、人間が暮らしてきた世界に対しての感想は、現今の世情に対して抱く感想と大して異なるものではあり得ないのではないか。

歴史発生以来、というのは人間が、さらに文字を獲得して記録をはじめて以来と言い換えても問題はないと思うが、まあ、争いの歴史といって過言ではないと思う。争いと争いの間に束の間、平和な時期があったとしても、歴史的時間のスパンの中では、ほんの一瞬の平和であろう。

だが、そんな人間の世界に対して絶望する人間ばかりがいたのではない。いつの時代にも、生き難い人間世界を改善しようとしてきた人間はいたし、現在にもいる。ただ、そうした人間の営みを台無しにしてきたのも、また人間の営みである。

歴史とは、極言すれば、そうした二種類の人間によって綯われた一本の縄のようなものであろう。さらに言えば、人間がもつ悪意と善意によって綯われた縄といえるかもしれない。さらに、さらに極言すれば、人間はそのどちらかに与《くみ》して生きる生き物かもしれない。それが意識的であろうが無意識的であろうが、である。

こう言ってしまえば身も蓋もないが、いったん、そういうふうに人間の歴史を大摑みにした上で、なんばみちこ詩集『おさん狐』を読むことにする。

はじめに、少々長い詩を引いてみる。

金さん

金さんはお人よしで
ちいと知恵も足りんでのう
みなが馬鹿んしとったんじゃ
せえでも怒りもせえで
いっつもにこにこ　ええ男じゃ

伊与部山ん狐が
その金さんに惚れたんじゃ
何でも　金さんが山で
松ご掻きゅうして一服しょうる時ん
迷子《めえご》んなった子狐《こぎつにょ》ん膝ん乗せて
撫でとったんじゃてえ
ちょうど帰ってきたお母狐《かんぎつにょ》う見つけた金さん
……おめえ気いつけえや
　こねえなめんけえ子を置《え》えて
　長《なげ》えこと放っとっちゃあおえんでえ
　怪我でもしたらどうするんならやあ言《ゆ》うたてえ
その本気ん顔へ出合うて　お母狐《かんぎつにょ》あ
人間の顔《かわ》あこねえにきれえじゃったんか思うたてえ
お父狐《とんぎつにゃ》あ長《なげ》えこと行方不明じゃし
それにゃあどうすりゃあええんじゃろう
ある晩　せっせとおめかしゅうして

きれえな女《おなご》ん化けてのう
松ごを籠ん入りょうる金さんの側《そべ》へ
行ったんじゃ
……金さんちょっとごめんせええろう精がお出んさるなあ
そう言い言い擦り寄って
金さんの手う《てょ》　つと握ったんじゃ
金さんはぶったまげた
見たこともねえ別嬪が
名前《なめえ》まで知っとったんじゃけえ
金さんでもちいとおかしいと思うたんじゃ
この頃狐が出る言うてお母《かん》が言ようたけえど
こりゃああの狐じゃ　気がつかんふりゅうしとこうせえでも
見りゃあ見るほど別嬪じゃ
……ほんに　よう化けたもんじゃあ
あんまり感心したもんじゃけえ
ちい声ん出えてしもうたんじゃがのう
狐あびっくり

尻尾を出えて逃げたてえ
その後ろん姿《すがて》へ金さん大声で
……ありがとうさん

おなごん手う握ったんは
初めてじゃあ
やわらこうてぽっちゃりして
ぬくうて　ありがとうさん

いつまでも叫《おら》びょうたてえ

なんばみちこ自身の「あとがき」に「……伊与部山《いよべ》に、昔住んでいたと言われる狐の話がもとになっています。幼い頃祖母の良から聞いた話の断片に、私の幼年時代の体験や想像の世界が重なって生まれました。……」とある。

当然、ここで使われているのは岡山方言がベースになっているが、その物語性と相俟って何ともいえぬ味わいを醸し出している。その味わいの上に、さらに「金さん」と女に化けた「狐」との、ほのぼのとした関係が描かれているのである。詩集に集録された詩の中で私が最も好きな一篇である。

何が好きかといえば、この詩に出てくる、お人好しの「金さん」と「狐」の関係を語る語り部の精神のありようが、である。

普通、「狐」は人間に害を与えるものとして位置づけられることが多いし、また「金さん」のような人間は哀れみの眼差しで見られ、差別されて一段低く見られることが多いのではないだろうか。しかし、この詩の中での「金さん」と「狐」の関係は、決してそのような皮相な面で描かれていない。

迷子になった子狐を哀れに思い、膝に乗せて撫でている時に現れた母狐は、「金さん」から掛けられた言葉に感動し、そして、人間の顔とはこんなにも美しいものだったかと認識する。そこで「金さん」に一目惚れした「お母狐《かんぎつね》」（お父狐は行方不明で生活に困っているらしい）が別嬪さんに化けて「金さん」に近づき、手を握って言い寄るのである。しかし、「金さん」は狐であることを見抜いてしまう。狐はビックリして逃げ出すが、その、幾らかの魂胆もあったであろう狐に向かって「金さん」は心からの感謝の言葉を叫びつづけるのである。狐が化けた女かも知れないが、初めて女から、それも飛びきり別嬪さんから声をかけられ手まで握ってもらった「金さん」の無垢で穢れのない心根が、私の心を浄化しはじめるのである。

そして、この狐の一家の物語として各詩篇は展開。子狐の成長を記録しながら、戦争へと突入し、空襲を受けたときの恐怖や、広島に原爆が投下されたときの母狐の感想などを盛り込みながら、悪夢のような時代を清めようとでもするかのような祈りへと昇華していくのである。

もちろん、これは単なる民話ではなく、「なんばみちこ」という詩人の幼年期や思春期などの楽しい体験や切ない経験もブレンドされている。そこを経て、現在から未来へと向けられる眼差しに詩人の思想が込められているのである。

出征

涙あためて
旗あ振りょうる女ん子
お父は
斜めんたすきゅうかけて
眼鏡ん奥で目をしばしばさしょうる

俺《おれ》らも旗あ作ろうと言い出したんはくり助とまつ造
子狐らあ熊笹あ旗ん見立てて
山ん出っ張った岩ん上へ並んで立っとる
だれも気づかん
女ん子ん涙
勇ましゅう胸《むにょ》う張り　出征して行く

若《わけ》えお父
行列は橋んたもとまで
そっから先《さきゃ》あ五、六人になって橋《はしゅ》う渡る
線路ん脇でも日の丸ん旗
はたはたはたはた　風《かじょ》うおこす
万歳《ばんぜえ》——とみんな絶叫
その汽車ん何人の兵隊《へえてえ》さんが乗って行ったんか
何人帰《けえ》ってきたんか
子狐飽かずに熊笹あ振り
やっぱり
万歳——と叫びょうる

おさん狐あ黙って
子狐らの　遊びゅう見《みゅ》うた

なんばみちこは、略歴を見ると一九三四年生まれとある。敗戦は一九四五年の八月十五日。ということは、敗戦の年は小学五年生である。彼女もまた、この「出征」に登場する子狐のように涙をためて日の丸の旗を振り、万歳を叫びながら出征兵士を見送ったであろう。

「出征」は、そうした彼女の、悔いも痛みもある経験が色濃く投影した作品であろう。

それでも、終わりの「おさん狐あ黙って／子狐らの　遊びゅう見《みゆ》うた」という二行に込められた「おさん狐」の無言の眼差しには、無量の悲しみが宿っている。

この悲しみには女の、それも、とりわけ母親たちの悲しみが最大公約数として集約されている。それは、当時の母親たちの悲しみばかりでなく、のちに母親となったであろう作者の悲しみも要約され、さらに現在も世界各地で繰返される戦争の背景に、兵士の数ほどいる母親たちの悲しみまでが含まれている。そういう人の世に尽きることのない悲しみが読み取れなければ、詩人が「おさん狐」を介して訴えようとしている悲しみは理解できないだろう。

詩人は声高に反戦を叫ぶのではなく、むしろ、叫ぶよりも痛切な悲しみを形象化することで反戦を訴えようとしているのだろう。

こうした手法は、手垢のついた「戦争反対」などの単純なマニフェストなどよりも人々の心に沁みる。そして、この手法は全篇に駆使されているが、特に「秘密」や「朝鮮の人ら」「もろこし畑で」「戦争1」「戦争2」などの詩篇において際立っている。

悲痛な体験を生きてきた作者が、その人生において獲得し得たものを「おさん狐」に託して伝えようとしているものは、何も特別なことではないと思う。

多くの昔話がそうであるように、寓話的手法を取り入れることで、失われつつある自然や人間に対する畏敬の念を甦らせようとしているのである。そして、その果てに人間が人間であることの、あるべき姿を未来に描こうとしているのだ。
しかし、その詩人の姿は、詩集の最後に収められた「エピローグ　一匹の狐が」の狐のように寂しくみえる。

……こどもは白い紙だから
赤い絵の具で描いたなら
赤いお花になるでしょう

こどもは白い紙だから
黒い絵の具で描いたなら
黒いお花になるでしょう

かあさん緑を筆にとり
あなたの胸に描きましょう
「みんなの地球」と描きましょう

かあさん空色筆にとり
あなたの背中に描きましょう
「みんなの空」と描きましょう

すでに物語も滅びたと思われる街を行く狐が、病んだ人間世界で再び立ち止まって聞いたものは、「一軒のだいだい色の灯をひっそり掲げた／ちいさな家の中で／若い母親が赤ん坊をあやしながら／歌う声」である。
だが、この歌声から、未来に対する明るい希望は感じられない。むしろ未来への大きな不安が貼りついている。

永遠の裂け目に降りてでも行くように
うなだれて行く狐が
天を仰ぐ
ぼんやりと明りのようなものが
山の端に懸かっている
月が見えるはずもないが

東の空
あれに希望という名を付けてもいいだろうか

詩集は、この八行で終わりである。そして「あれに希望と名を付けてもいいだろうか」という最終行。

二十一世紀に入って、むしろ人間世界は悪意に満ち、民族紛争や戦争が蔓延している。貧富の差は広がり、追い打ちをかけるように自然災害が頻発する。それも天然自然のせいばかりでなく、人間の開発という名の環境破壊や生命科学の名で行われる素朴な人間倫理の破壊。そうした世界を鏡のように映す子供たちが引き起こす残酷な事件。

いま、この時代、私たちは一本の縄を綯うのに悪意の藁を綯い込んでいるような気がする。好むと込まざるとに関わらず、である。

そうした世情を考えると、恐る恐る「希望」を口にするしかない。それでも、未来に対して希望を抱きたいという切ない願い。手放すわけにはいかないという決意。

だがしかし、真剣に考えれば考えるほど、能天気に明るく「希望」を口にすることはできないだろう。それでも、なお、という思いが「あれに希望と名を付けてもいいだろうか」という低いトーンの自問なのである。

それはまた「おさん狐」の声であり、若い母親の歌声であり、なんばみちこの声なのである。

弱い声であるが、それだからこそ私は真摯に耳を傾けようと思う。

二〇〇五年一月六日

詩のプリズムを透ってくる肉声のつぶやき

鑢見忠良詩集『つぶやくプリズム』を読む

プリズムというものは、光を分散したり屈折させたり、あるいは拡散させたりするものである。かつて三稜鏡と呼ばれた、ガラスや水晶で出来た角柱のことである。

このプリズムを初めて見たのは、たしか小学高学年になった頃の理科の時間だったと思う。日頃、見えない光の色彩がプリズムを透して目に見える虹となって壁に映し出されるという、とても不思議な経験だった。簡潔に言えば、見えないものを見えるようにするものである。

私の知識は、まあ、そんな初歩的なものである。しかし、それで充分だ。

ところで、大分在住の詩人鑢見忠良さんから『つぶやくプリズム』と題した詩集が届いた。『空のエスキス』（一九八九年）以来、二十年ぶりの第四詩集である。

まず、その詩集名に魅せられた。「つぶやく」という言葉と、「プリズム」という異質な言葉の組み合わせに、すでに詩がある。そして何より、鑢見忠良という詩人の存在と、その詩のありようを如実に象徴するタイトルだからである。

先の詩集『空のエスキス』の「あとがき」に次のようなことが記されている。

　幼い頃からの私の無二の親友といえば〈空〉でした。ともすれば気難しく孤独壁のあった私を暖かく受容し、励ましてくれたのが〈空〉です。強度弱視であった私への亡き父の口癖も、〝遠くを見ろ……〟でした。

…略…

ゆくりなくも、その後私は失明しましたが、〈空〉への想いは少しも変りませんでした。かえって心に焼きついた様々な〈空〉の様相が、夢や瞼の中でうずき、よみがえるのです。いつどこにいても〈空〉の事が気になります。ですから私は、絶えず〈空〉の眼差しや気配を感じながら生活してきました。

「詩」を道連れにしながら、私はいつしか、自分にとっての〈真実の空〉を築かなくてはならないと意識するようになりました。

…略…

この詩集は、際限もない私の日々のつぶやきの中から生まれたものです。

そして、今回の詩集『つぶやくプリズム』の「あとがき」には次のように記されている。

これまでの月日を想う時、失明を含めさまざまな悩みを体験してきました。非力な私をその都度励ましてくれたのが詩です。〈深い闇の底から忽然と湧きあがってくる泡〉、何か無性に懐かしいもの、その泡のつぶやきこそ私の言葉です。自然の逸物である人間・一匹の虫として、私は絶えず自由な〈隙間〉を求めてきました。命の空間です。残された感覚を奮いたたせ、私は本当の風景を描きたいのです。そして語りたいのです。命のかがやきについて、私は決して孤独ではありません。闇と光の間で愚直に暮らしています。つぶやく一筋の声になりながら。

…以下略…

あえて両詩集の「あとがき」を引用したのは他でもない。鷁見忠良という詩人が、詩をどう思っているかが正直に述べられているからである。

ここで、空、自由な隙間、命の空間、詩は同義のものであろう。そして、その詩は、深い闇の底から湧きあがってくる泡のつぶやきであり、一筋の声である。

そして、彼は〝遠くを見ろ……〟と言いつづけた亡き父の言葉を守り、今も〈空〉を見つづけている。

その〈空〉は、かつて見た〈空〉であるが、「かえって心に焼きついた様々な〈空〉の様相が、夢や瞼の中でうずき」、光となり、言葉となってよみがえるのだ。

それも詩のプリズムを透してである。

では、詩のプリズムとは何か。

それは言葉による知覚であり、認識であろう。

目の見えない鷹見にとって、聴覚・嗅覚・味覚、そして触覚などを透して知覚されるすべての世界と、失明以前に見たものの記憶に加え、かつて見た世界への追憶を経てなされる再認識されたすべての世界。それが詩のプリズムということだ。

さらに言えば、鷹見忠良自身がプリズムということである。

そのプリズムを透して得られた詩が、深い闇の底から忽然と湧きあがってくる泡のつぶやき、すなわち言葉であり、光である。

だが、鷹見のプリズムは光学的な光を目に見えるものにするためのものではなく、彼の言う「命の空間」に射し込む光を目に見えるものにするプリズムなのである。

では、この「命の空間」に射し込んだ光は、詩のプリズムを透して、どのような世界を現出させているのだろうか。

私の祈り

得体の知れないものが蠢いている

徐々に密度と深さを増して
ふるえながら
かすかに渦を巻きながら
沸きあがる流動よ
私の沈黙よ
いつか話にきいた宇宙の奥に似ているが
〈闇〉の一言でかたづけないでくれ
おぼつかなく反射しているのは
無限からやってくる光であろう
いや〈ことば〉であれ
くすぐったいのは宿痾の痂《かさぶた》が
網膜の壁から
雪片になって剝がれてくるからだ
行けども隙間なく継目なく
あふれつづける
風が遠くをそよいでいるようだ
ふいに足下から

花々が香ってくる……
私には何もない
ただ照らされているだけ
閉ざされた淵のようにみえるこの場所を
さわることが出来ない
はかり知れぬ山を、山の底から
深々と見上げるように
誰にだって寂しい鼓動が
こびりついている
重なる夜の密林の彼方から
獣の叫声が
しきりと呼んでいる
あそこで私は生まれたのだった
懐かしい万物とともに
凝視することは
辛い
重さのない海の重さが

滲んでいる
今にも破けそうだ
それが
命の重さなのだ
未来の重さなのだ
眠りの麻薬が
私をいざなう
さらに私を深みへと沈める

さて、この詩集巻頭におかれた詩「私の祈り」を読むと、何かが生まれる気配に満ちた原初の闇と、自らの言葉が生まれる前の熱い沈黙の世界を同じものとして認識していることがわかる。そして、その混沌として流動する世界からやってくる光のように、自らの詩の言葉がやってきて欲しいという祈りが告白されている。

しかし、その祈りの底には、自らの宿痾である、目が見えないことの痛みと悲しみが貼りついているが、風のそよぎを聞き分ける聴覚、花の香りを嗅ぎ分ける嗅覚、つまり、彼に「残された感覚」を総動員して「命の空間」に射し込む光を見ようとする。このとき、目では見えないものを見ようとする意思のことを想像力と呼ぶならば、目が見えないという肉体的疾病は、さほど重要なことではない。

それよりも、彼の想像力は自らの生の根源に「重なる夜の密林」が在るという認識に至り、さらに、その彼方に自らの生まれた場所を探り当てていることだ。

また、そこには「懐かしい万物」があり、自らと同じような生を与えられたもの、つまり山川草木・鳥獣虫魚の世界があり、そこで、それらとともに生きている。そして「宇宙の奥」にある真の闇を、ともに辛い思いで凝視している。

すると、「今にも破けそう」な「重さのない海の重さが／滲んでいる」のである。それが「命の重さ」「未来の重さ」という認識に至る。認識とは言語化のことである。そこまで辿りついたとき「眠りの麻薬が」さらなる闇の深みへと彼を誘うのだ。

そうして、「重なる夜」に、また一つ夜が重なり、さらに、眠りによって生じる闇が重ねられるのだ。しかし、彼は「閉ざされた淵のようにみえるこの場所を／さわることができない」と言う。つまり、先に述べた聴覚や嗅覚だけでは認識できない世界に、触覚をもってもさわれない世界が想定されるが、その世界もまた「はかり知れぬ」世界である。

こうして読み解いていくうちに、目の見える私は気づく。

目が見えないために、絶えず闇の世界に住む人も、眠りによって、さらなる闇の世界に沈んでいくのだということに。それは、目の見える者が眠りにつくとき、光から闇の世界へというプロセスと違って、闇から闇の世界へというプロセスなのである。

この詩は、そういうことに気づかせてくれる。靍見の祈りの痛切さに気づかされる。

そこで初めて「〈闇〉の一言でかたづけないでくれ／おぼつかなく反射しているものは／無限からやってくる光であろう／いや〈ことば〉であれ」という四行が腑に落ちてくる。これが鱷見の「つぶやき」であり叫びであり、一筋の声なのだ。この声に耳を澄ますことが、すなわち鱷見の詩を読むということであろう。全感覚を総動員しても辿り着けない世界を「深々と見上げるように」見あげている鱷見の想像力には「寂しい鼓動が／こびりついている」のである。それは、「無限からやってくる光」を、あるいは〈深い闇の底から忽然と湧きあがってくる泡〉、つまり、詩を切望する詩人の魂の反映であろう。

ところで、私たちは歴史的時間と共時的時間の世界を生きている。歴史的時間のはじまりを、どこに設定するかは措くとして、その中心にコンパスを立てて円を描くとすると、その円のうちにあるのが共時的世界であり、円の直径が歴史的時間ということになろうか。

というのも、最近、私は必要に迫られて我が国の近代詩以降の年表を読み直すことがあった。その際、自分の年齢を半径として円を描くと、直径は、とうぜん倍になる。そうすると、一九四七年生まれの私の年齢六十二を半径にした円の直径は一二四ということだ。一二四年前というと現在二〇〇九年だから一八八五年（明治十八）ということになる。日清戦争（一八九四年勃発）、日露戦争（一九〇四年勃発）以前までが円の内側に含まれるということだ。この発見が、直径一二四年として描かれる円の範疇は「現在」であるという認識を生んだ。

過去も未来も「現在」のうちにしか存在しないという時間論から言えば、その認識は間違っていないだろう。

そして、鷹見の「私の祈り」を読むうちに、こうした認識を拡大していくと、歴史的時間を地球創世の頃まで拡大しても同じことが言える。

つまり、私の自身の年齢を半径として描かれる円が、地球創世から現在までの直径をもつ円の最大公約数と考えたということである。

そうすると、約四十六億年とされる地球の年齢を直径として描かれる円のうちに収まる出来事も「現在」のうちにしか存在しないということになるではないか。

そこで私自身をコンパスの針として描く円も、鷹見をコンパスの針として描く円も、その円のうちに収まる世界は同質のものであると言える。そしてその世界は、たとえば一歳の幼児でも百歳の老人でも同質ということだ。

四十六億年という地球の歴史的時間を分母にすれば、四十六億分の一も、四十六億分の一〇〇も大差ない。重要なことは、その分子の密度は同じということだ。それが鷹見の言う「命の空間」であり、この「命の空間」では分子が一でも一〇〇でも「命のかがやき」には何らの差異もない。

鷹見は、その「命のかがやき」を、詩をもって形象化しようとしているのだ。

彼が心酔している小林一茶は、栗山理一によると「自己のさまざまな負の意識を逆手にとることによって、その肉声をあけすけに響かせようと試みた」俳人であるが、それに倣って言うなら、盲目の詩人鶴見は「負の意識を逆手にとって、肉声をつぶやきによって響かせようと試みている」ということになろうか。

とまれ、少し鶴見の詩を素直に鑑賞してみよう。

秋の庭

秋の光がビーズの音をたてる
山雀《やまがら》がないている
窓を
蜜蜂の羽音が
出たり入ったりしている
風がたくさんの手を出して
床屋さんのように
秋の庭の手入れをしている
川砂のみちも
さっぱりかわいて
新しい海苔巻の匂いがする

あちらこちら
大切なことばが
みえない鏡になって
散らばっている

なんと美しい痛みのある詩だろう。光の音が聞こえる。光の音がビーズとなって音を立てている。ヤマガラとなって鳴いている。蜜蜂となって羽音を響かせながら窓を出入りしている。風の床屋さんの鋏の音が聞こえる。清流の岸辺の砂利に付着した川海苔の、さみどりの明るい色が見える。
それもこれも、みんな「無限からやってくる光」であり「大切なことば」である。「ことば」が「みえない鏡になって／散らばっている」という。この「ことば」こそ、プリズムであろう。詩が「プリズム」を透して、読む者の心に美しい秋の庭の映像を結ぶ。

影の歌　I

どんな風よりもかるく
どんな物より重たいもの
なーに？

それは
かげ
命のかげだ
万物を支えるかげだ
かすかに
中心が凹んでいる

あかるんでいるのは
闇によりそう邯鄲のこえ
あまりにも間近で
あまりに遠いい
どこか
人間の目の後に似てはいないか

（注　邯鄲……こおろぎの一種）

ここまできて、詩集の巻頭に置かれた「私の祈り」という詩が、鱺見の詩と思想の総論であり、その後の詩篇は各論であるということがわかる。「私の祈り」が、少々、難解に見えるのは総論としての性格をもっているからであろうが、各篇を読むと、逆に総論が解りやすい。各篇が、それぞれ全体像を含んでいるからだ。

ところで、この詩に現われる「影」は、実は「重なる夜」の深い闇のかけらであり、その、かけらが「命のかげ」であり、「万物を支えるかげ」である。そして、その影、つまり、闇のかけらに寄り添って鳴いている小さな生きものである邯鄲の声。その声が「人間の目の後《うしろ》」に似ている闇から聞こえてくる。これこそが鱺見の一筋の声である。闇も邯鄲も、ともに鱺見自身であろう。邯鄲の命も、鱺見の命も「どんな風よりもかるく／どんな物よりも重たい」。

闇の花火

花火は
闇に甘えている
闇は
性懲りもなく

花火を摑みそこねている
闇と花火
どちらが奴隷だ

闇の襞をひき裂いて
血に濡れながら
私達子供は
生まれて来たのではないか

遠く歓声があがる
まぬけな大砲が鳴っている

闇には
闇の腹腸《はらわた》から絞り出す

闇の花火が

あるのではないか

私は、この詩を読みながら神学者マルティン・ブーバーの「人間が神を必要としているように、神もまた人間を必要としている」という言葉を思いだす。闇と花火の関係もまた、そういうものである。本来、主従の関係はない。闇によって花火は花火たり得るし、花火によって闇は闇たり得るのである。人間は生を享けて死ぬまで、誰でもひととき、たまゆらの命を生きる。それは、一瞬、闇を背景に空に輝く花火のようなものだという認識が靄見にある。

だからこそ、「闇の襞をひき裂いて／血に濡れながら／私達子供は／生まれて来たのではないか」という四行が書かれているのだ。

しかし花火は消え、闇だけが残る。私たち人間が死んでも闇は残る。般若心経に「無明尽　無無明尽」という一節がある。「無明も無く、無明が尽きることも無い」というわけである。

靄見は、失明して以来、この無明を自らのうちに内蔵して生きている。それは、宇宙の根源的な闇と連動している。したがって、「私の祈り」に書かれた「〈闇〉の一言でかたづけないでくれ」という一行が靄見の叫びであり、一筋の声であり、祈りということがわかるだろう。「いや〈ことば〉であれ」という願いが、どれほどの悲願であるかが理解できるだろう。

また、「おぼつかなく反射しているものは／無限からやってくる光であろう」というとき、おぼつかなく反射しながらやってくる光が、外側からばかりでなく、靄見の内蔵している闇からやってくるものであるということもわかるだろう。

よくよく考えてみれば、私たちの生もまた鶚見の生と、何ら違ったものではない。生まれたときも独り、死ぬときも独り。すなわち、生きるのも本来独りなのである。唯我独尊、I STAND ALONR、天地に先立ちて生ず寂寥たり（孟子）、どんなに愛するものが傍にいても、ついには独りの道を往くしかないのが生ある人間なのである。

次の詩が、それを証明している。

ひとつの道

一杯のコーヒーのなぐさめに
たえねばならない

底知れぬ海の重さ

立ちはだかる山のしずけさ

降りしきる空の虚しさ

たえねばならない

だれだ　だだっ子のように
泣いているのは

すべては
やってくるのだ
あの内部から
ひとつのみちから

ひとりでゆくみち

それにしても、「底知れぬ海の重さ」は「私の祈り」の「重さの無い海の重さが／滲んでいる」に、「立ちはだかる山のしずけさ」は「はかり知れぬ山を、山の底から／深々と見あげるように」に、また「降りしきる空の虚しさ」には、「くすぐったいのは宿痾の痂《かさぶた》が／網膜の壁から／雪片になって剝がれてくるからだ」に呼応している。反照し合っている。

こうして読み進んでいると、冒頭で紹介した本詩集の「あとがき」の中で鷗見が書き記した「私は決して孤独ではありません」という言葉が甦ってくる。そして、その言葉が、却って鷗見の孤独を際立たせてくる。

「ひとりでゆくみち」が見えてくる。同伴しているのは鷗見自身の影だけである。「闇の花火」に倣えば、鷗見は影に、影は鷗見に寄り添って分離不可能な関係にある。「孤独ではありません」という鷗見の孤独。鷗見の孤独は、鷗見自身の影と同行二人の孤独なのだ。そして、そこから「すべては／やってくるのだ／あの内部から／ひとつのみちから」と断言する。そのときの「あの内部から／ひとつのみちから」もまた、「私の祈り」の「無限からやってくる光」の軌跡のことだろう。

鷗見は、無限からやってきた光の道を逆に辿って、「重なる密林の彼方から／獣の叫声が／しきりと呼んでいる／あそこ」、つまり、自分自身が生まれたところ、初めもなく、終わりもないところ、光のやってきたところへ向かって歩いているのだ。帰還しようとしているのだ。

だが、人間にとって往路が復路である道を、鷗見は決して性急に歩いているのではない。

虫時雨

虫のこえを数えながら
虫しぐれ

ゆっくり　歩くのが
いい

歩くたび
松虫ふえて

青い銀の霰降る
天の松虫の仕事

川音を塗り潰すように
轡《くつわ》虫泣き出した

あちらこちら草ぐさの駅
どこも渦巻く
轡虫も機関車です

虫たちは自らの光を飛ばしながら
命の間《あわい》をつないでいます

すると鈴虫の歯車が
うつくしい相の手を入れました

地は
にぎやかな星明り

こんな晩に
ぼくは生れたかった

そして末期の家
なんにもいらない
虫しぐれ

この詩には、「自然の逸物である人間・一匹の虫として、私は絶えず自由な〈隙間〉を求めてきました。命の空間です。残された感覚を奮いたたせ、私は本当の風景を描きたいのです。そして語りたいのです。命のかがやきについて」（「あとがき」）という、霾見の思いが素直に、やさしく表出されているが、ここで「末期の眼」ならぬ「末期の家」が出てくる。

この「末期の家」というのは、霾見が生を享けた「この世」というほどの意味に取っておけばいいと思う。ただ、「末期」という語に込められた思いには、常に、一瞬一瞬を末期として生き、そして、その一瞬を松虫や轡虫のように命を絞って鳴くことが霾見の詩に向かう思いであることは間違いないだろう。

道元に「吾常於此切《ごじょうおしせつ》」（われ、常にここにおいて、切）という言葉があるが、霾見の詩に向かう思いも、おそらく、そのように切実、痛切なものである。そして一篇一篇の詩は、一瞬一瞬の遺偈《ゆいげ》である。霾見の詩は、みなそのように精一杯の息遣いがこもった〈つぶやき〉である。

風

風は
息づかいです
いまも生きようとしている言葉です
そよいでは吹きつのり

さわることで
うれしく
あるいはかなしくうたいながら
いのちのありかを
やさしさをたしかめているのです
あー万物が風に共鳴している
この世もあの世も入りみだれて
吹きぬける吹きぬける
いずれはみな風になるのだ
つかれて重くなるばかりの日々
耳の奥の風のうた
光でもなく闇でもない……
ふと
風は眠る
ぼくの塒《ねぐら》で

ここに至って、霾見の心に、ある種の放下が見られる。諦観でも悟りというのでもない自己放下。

すなわち、自己が捉われているあらゆるものから明るく自由に自己を解き放って安らいでいる雰囲気がある。

靎見が風の塒で休息するのではなく、「ぼくの塒で」風を休息させるゆとりが生まれている。そして、この詩が、読む者の〈塒〉となる。

さびしい獣

凝視することは
つらい

いつしかぼくは
自分の顔を
わすれてしまった

命は
ただ
命のまゝにもえたがっているのに

ヒリヒリデコボコ
全身が
眼玉だらけの
けもの
迷子のけもの

はがしてくれ
きらいだ

人間のまなざしが
ことばの亡霊が

この「さびしい獣」は、巻頭の「私の祈り」に出てくる獣だ。「凝視することは／つらい」という同じフレーズが書き出しに使われている。ここにきて、「さびしい獣」もまた、鵞見の分身であることがわかる仕掛けになっている。そして、「さびしい獣」は自分自身から解放されたがって叫んでいる。では何から解放されたいのか。

私は、鸝見が言葉から解放されたがっているのだと思う。

人間を人間たらしめているのは言葉である。言葉から解放されない以上、人間は人間でありつづけるしかない。鳥や獣と人間を分かつのは言葉をもつか、もたないかである。人間は言葉をもつ獣と言ってもいい。人間は言葉をもったために、自然からはじき出された「さびしい獣」なのだ。

それも盲目であるために、却って、見ることに異常なまでの執念を燃やす詩人こそ「さびしい獣」の代表者だ。全感覚を眼玉にした獣だ。この獣は、耳で見る、鼻でみる、指で見る、舌で見るのである。「はがしてくれ／きらいだ」という悲痛な叫びは、つまり、言葉による想像力をもったがゆえの叫びなのだ。その想像力をもってしても自分の顔を見ることができないという悲しみ。

集中で、これほど正直に叫んでいるのは、この一篇だけだ。それだけに鸝見の悲しみの深さが垣間見える。

解放感に満ちた「風」を読んだあとでは、その落差の大きさに立ち止まってしまいそうだ。

しかし、人間の喜怒哀楽というのは、変わりやすい天気のようなものだ。一定不変ということはない。たまには叫んでもいいではないか。

闇のプリズム

闇に終わりはない

さまざまな雲の形や自然のざわめきや言葉の影が
通りすぎる
闇の波がかぶさり
光の砂が散乱する
豊かに静もる暗黒よ
大いなる混沌よ
何もかも初めから知っているのだ
だからいつだってお前は新鮮だ
仄暗くつづくガラスの表
裂目はないか何処かに
ケシ粒がこびりついている
映し出されている
わたしは逃げはしない
帰って行くのだ
わたしは言葉を浚渫する
だが暗黒には
舌がなかった

遙か遠くとどろく地平
うごめく夜の山脈の果て
あばら家があり
崩れかけた扉を押すと
魂の松明《たいまつ》が
青々と凍えてた

ようやくここまで辿ってきた。巻末におかれた「闇のプリズム」は、「私の祈り」を総論とし、それ以外の詩篇を各論とすれば、「付記」的なものである。したがって、今さら、この作品に言及する必要はないだろう。

それよりも、二十年前に出版された『空のエスキス』の帯にも、今回の詩集『つぶやくプリズム』の帯にも書かれている「アニミズム」という言葉が気になる。

前詩集の帯は措くとして、今回の帯には「独自のコスモスとアニミズムが紡ぎ出す人間賛歌」とある。

「アニミズム」とは、生物・無機物を問わず、すべてのものに霊魂が宿っているという考えにもとづくものであり、精霊信仰などと訳されている。

しかし、鶚見の詩に頻出する昆虫や鳥や爬虫類、草木や果樹などの外に、雨や虹といった自然現象も含めて、そこにアニミズム的な依拠を求めるのは間違っている。

これまで見てきたように、靏見の詩に現われる生物は、靏見自身の分身としての役割を担わされているのであって、決して、手放しでそれらの生物に依拠しているのではない。さらに言えば、靏見は、無限からやってくる光、すなわち、〈ことば〉を信じているのであって、決して霊魂を信じているのではない。

「闇のプリズム」の中で、「わたしは言葉を浚渫する／闇に終りはない／さまざまな雲の形や自然のざわめきや言葉の影が／通りすぎる」とし、「だが暗黒には／舌がなかった」と記すとき、先にも述べた、人間は言葉をもったために、自然からはじき出された「さびしい獣」として、どうしようもなく自然から引き剝がされるしかない孤独と、言葉を駆って言葉以前の全一的な世界を獲得しようとして獲得し得ない孤独の両方に引き裂かれた詩人の、根源的な哀しみをこそ、読み取るべきだ。

詩は、靏見にとって生きるためにすがる一本の藁である。その藁にすがった靏見の青々と凍えた松明。それでも松明をかざしつづけて生きる靏見の、必死捨身の詩精神は、決してアニミズムなどで納得するものではない。

特に、近代的自我に目覚めた人間は、さらなる亀裂を深め、飢餓にあえぐしかない。

靏見にとっても、それは例外ではない。

しかし、そうした孤独を秘めた「さびしい獣」としての靏見の詩は、意外に明るい。それは靏見が、深い孤独の中から「さびしい獣」への愛の歌を紡ぎだしているからだ。

昨今の、自我まるだしの詩の氾濫の中に、爽やかな秋の光のように射し込んだ詩の光。その光の果実を充分に堪能させてもらった。

日本の詩人たち（二）

草の刃にふれる

松岡政則詩集『草の人』ノート

詩にとって現実とは何か。あるいは、現実にとって詩とは何か、などと考えていた矢先に「草の人」が来た。

それは、まさしく「草の人」で、けっして詩集などという器に納まる代物ではない異形の者を引き連れて、眼の前に現われた。

「草の人」は異界からのマレビトとして、私にやって来た。と言っても、私の外にある異界ではなく、私の内にある、今は、異界として存在する世界からである。

「草の人」は、山あいの小さな〈ぬかり田〉にしがみついて生きてきた貧しいドン百姓の村からやって来た。貧しいドン百姓の村の中からはみだし、あるいは、はみだすこともできなくて鬱屈した者、また、貧しさを強いる者たちに対する一揆者の顔でやって来た。

「草の人」に見覚えがある。まつろわぬ者の顔つきをしている。手ごわいが、澄んだ眼をしている。

腑抜けた二十一世紀初頭の、のっぺら坊が徘徊する、ただならぬ明るさの中に、すでに滅びたかに見える村からやって来た。とても濃い影を曳きずっている。

とても一筋縄ではいかない相貌をしている。眉間に深い縦皺が刻まれている。

この、「草の人」は、私が、目をそむけ、できれば抹殺したいと思ってきた〈ぬかり田〉の村から
さまざまな者たちを呼び覚ます。

歩く巨人といわれた民俗学者の宮本常一のように、歴史の闇に追放されたものたちを呼び覚ます。

遠くで
草が騒いでいる
胸の中でもざわざわする
あれはたぶん
父に酷く叱られた日の
星明りの青い青い歩くだ
何度振り返ってみても
誰もいなかった青い青い歩くだ

（「痛点まで」第一

「草の人」は、はじめに少年を連れてきた。青い青い足音が私に近づき、私の胸をざわめかせる。

〈ぬかり田〉の村の草がざわざわしはじめる。
少年の私が裸足で歩いている
草のざわめきとともに、胸苦しさが込み上げてくる。貧しい無学文盲の、しかし生きるに強かなドン百姓の父祖の地の、血の滴るような愛憎や悲喜交々の泥臭い人間模様が、蛙の卵のようにブヨブヨと連なり固まって、ぞよめきはじめる。卵が割れる。
それが合図のように墓所のある山が傾れて、おびただしい死者が蘇える。私の中を、影のない者たちが、ぞろぞろと這いまわり、何か、しきりに訴えはじめる。その声なき声がぞよめき、ざわつきはじめる。

聾の者ら

わたくしの躰は無数の伝聞《ききづたえ》で出来ている
孤絶者《こだえもの》のふりで
詩を騙ってはいるが
わたくしの言葉ではない
わたくしの韻律ではない
あれは歴史の外に追い遣られた

無告の者らの無念
わたくしはその聲なき聲を憶えてきただけの者
余白の熱も
ときどき行間が痛がるのも
あれはあの者らのものだ
異形と畏れられたあの者らこそが真に草を呼ぶ言葉を持っていたのだ
わたくしはわたくしの心奥で
弛緩し
跳で蹲っていた者らの聲を
あの者らの眼を解き放ってやらねばならぬ
侮蔑と痛憤の日々を
今日的に雪いでやらねばならぬのだ
わたくしはそのためだけに生まれてきた者
この土地とあの者らとの
スリリングな隔たりをこそ生きる者
わたくしは詩を書く者ではない
ただの歩き筋くずれ

そこいらの突破者
だがわたくしの小さな揺れが
その度にあの者らを呼び覚ましてきたのだ
わたくしはあの者らの怨嗟の聲
いいやあの者らの最後の尊厳
わたくしはあの者らの本源的な揺れ戻しをこそ求めてきたのであり
わたくしの言葉は生粋の
あの者らの内言

私が、封じ込め殺そうとしてきた者たちの声が、胸元から立ち昇ってくる。その者たちの声が草の声だ。むんむんしている。草いきれ、声いきれが、権力者によって民草と呼ばれ蔑まれ、貶められた者たち、「歴史の外に追い遣られた／無告の者らの無念」「侮蔑と痛憤の日々」を生きて死んでいった者たちだ。

私は、それらの者たちに寄り添おうとしたことがあったか。それらの者たちの声を解き放ってやろうとしたことがあったか。〈ぬかり田〉や荒蕪地の草の下に埋もれたままの声に耳を傾けたことがあるか。

松岡が「わたくしはあの者らの怨嗟の聲／いいやあの者らの最後の尊厳／わたくしはあの者らの本

源的な揺れ戻しをこそ求めてきたのであり／わたくしの言葉は生粋の／あの者らの内言」と力強く宣言し、無告の者たちの無念や痛憤、そして怨嗟の代弁者たろうとしている姿に、なみなみならぬ覚悟を察知する。

そして、このような松岡の認識は現代の都市文明や進化思想などが内包している（おためごかし）の真っ直中を、歩く草として歩く。

嘗ての門付け芸人や種種の振売りら
互り歩いた者らの足運びが交じり込んでくる歩くなら
馬喰者や蟲師や砥ぎ師や修繕ら
その地ままな肌合いまでが絡みついてくる歩くなら

「これがこの夏の歩くです」部分

近代の自我意識などという痩せさらばえた〈個〉としてではなく、「わたくしの躰は無数の伝聞《ききづたえ》で出来ている」という豊かな〈個〉の主張は、現在の、青白く生っちょろい〈個〉の時代を粉砕するだけの力を持っている。

今の時代に、このような野太い声をもって歩く「草の人」の登場が無性に新鮮でうれしい。

こうした声の持ち主が、今この時代に、まだ生きているということに驚く。

もういちど引用する。

「わたくしはあの者らの怨嗟の聲／いいやあの者らの最後の尊厳／わたくしはあの者らの本源的な揺れ戻しをこそ求めてきたのであり／わたくしの言葉は生粋の／あの者らの内言」という松岡は、しかし、「歴史の外に追い遣られた／無告の者らの無念」ばかりに目を向けているのではない。現在、ただ今も生まれつづける「無告の者らの無念」に寄り添おうとしているのだ。

たとえば、次の詩を読んでみよう。

遅れる

わからんが
なんでかわからんのだが
遅れる
郊外線のバス停から
都市銀行の看板から遅れる
人々の底意から
この街の犯意から
ありとあらゆる記号から遅れてしまう

なんでこうなのか
ぼくはいつだってど正面から
どうすれば詩を清潔にできるのか
そのことだけを考えた
そのためだけに歩き回った
だからなのか
ぼくは川から遅れる
身内の期待からも遅れる
黙っていたことの疼きから
姉さんの手紙からも遅れてしまう
一千年の独りが晒され
独りの微熱だけが残る
ぼくは街角のいたるところに設置された
〈今日も見られている〉から遅れる
〈今日も記憶されている〉から遅れる
物語など要らない
地勢図にも頼らない

なのにだ
なんで遅れてしまうのか
ぼくはヨルダン川西岸ベツレヘムの
たった十六歳で自爆した少年の日記から遅れる
今も夜が来るのが怖いという
ファルージャの女の子の願いから遅れる
遅れてはいけないものからも遅れてしまう
空はこんなにも
素晴らしく晴れ渡っているというのに
ぼくの心はまだ
夕べの校庭の隅っこに突っ立っている
雨の中の鉄棒をじっと見つめている

「わからんが／なんでかわからんが／遅れ」てしまう松岡の詩精神は、しかし世界に、あるいは時代に向けて開かれているのが解かるだろう。

遅れているからこそ、それは無告の者らを置き去りにしていく歴史に対して、あるいは国家に対して、そして人間そのものに対してラジカルな疑問符が投げかけられるのだ。

こうした松岡の詩精神というか思想は、例えば次のような詩で表明される。

草に倣う

サトの
凛烈な土地を想いながら
草に似せて立つのだ
あそこにはもう帰らない
あなたのことも二度と書かない
シャツのボタンを
全部はずして
そうやって新しい空の震えを覚えるのだ
(あれはわたしではない
(あんなのがわたしであるはずがない

サトの

脈動音がする
粗暴なるものを
もっと育てておかなければならなかった
全身が詰まる前に
その場で殴りかからなければならなかったのだ
なぜ黙っていたのか
何がわたしをそうやって翳らすのか

まただ
また都市の巨大な笑いが押し寄せてくる
もっと止まろうか
もっと草に似せて立とうか

この詩に書かれる「サト」とは、おそらく、松岡の生まれ育った土地であろう。従って、「あそこにはもう帰らない／あなたのことも二度と書かない」という詩句に含まれる「あなた」とは「サト」であり、「サト」を象徴する母であり、「草の人」そのものであるだろう。

それらが渾然として形象化されている土地とは、故なき侮蔑や差別によって包囲された貧しい共同体としての「ムラ」と言い換えてもいいかもしれない。

だからこそ、「サトの／脈動音がする／粗暴なるものを／もっと育てておかなければならなかった／全身が詰まる前に／その場で殴りかからなければならなかったのだ／なぜ黙っていたのか／何がわたしをそうやって翳らすのか」という二連が痛切に響いてくるのだ。

松岡の忸怩たる内面に立ち入ってみるならば、その苛立ち、痛憤、無念、内省などが理解できるだろう。そこまできて、「なぜ黙っていたのか」という一行が立ち上がってくるし、「何がそうやって翳らすのか」という一行の哀しみ、痛切さが立ち上がってくるだろう。

そして、それこそが詩人に「草に似せて立つのだ」という決意をうながした原点に違いない。また、さらに「もっと止まろうか／もっと草に似せて立とうか」と、自らの認識を、もう一歩推し進めようとする決意が述べられる。

本当に詩人は一本の草のごとく立ちたいのだ。その切ないまでの憧憬が、すなわち松岡の詩精神なのだ。

しかし、草は、その種子の落ちたところで生きるしかない宿命を負っている。根を下ろしたところが痩せた土地であろうが、アスファルトで固められた土地の、わずかな裂け目であろうが、そこで空を目指すしかないのだ。「新しい空の震えを覚える」しかないのだ。

草にとって現実とは何か。現実にとって草とはなにか。

はじめに、詩にとって現実は何か。あるいは、現実にとって詩とは何か、と書いたが、「詩」という語を「草」という語に置き換えてみると、松岡にとっての「詩」が如何なるものか理解できるような気がしてくる。

ところで、ここまで書いてきて、ふと草に紛れたくなってきた。パソコンのキーボードを打つ手を休めて夏草の茂るにまかせた畑にいった。照りつける太陽の下で草の中に立った。

ジリジリする熱気の中で、しばらく目を瞑った。

すると、遥か昔、わけのわからない苛立ちに襲われていた幼年期が蘇えってきた。

私の脳裡で、蛇を棒で打ちのめし、石で頭を砕いている者がいる。痙攣しながら息絶えた死を、さらに引き裂いている者がいる。

蛙を生け捕りにし、火薬をつめて爆死させている者がいる。よろけて目を剥いた死を、さらに地面に叩きつけている者がいる。

猫を水に投げ込んでいる者がいる。犬の手足を縛り木に吊るしている者がいる。蜻蛉の翅をむしっている者がいる。ムカデに火を放っている者がいる。

これらの行ないをしながら、遣り場のない怒りをくすぶらせている者がいる。息を詰めて辺りを窺っている

一部始終を見ていて、物言わぬ者が雲の上にいる。大きな木の蔭にいる。日は限りなく高く輝いている。

田圃で不発弾が爆発し、トンネルから汽笛を鳴らして列車が現われる。おどろいた馬の嘶きが谷間

に響きわたる。

青い草いきれが充満している。山あいの「ぬかり田」が、てらてらと泥の光を放っている。

十八で私が捨てた村が、逃げ水のように浮かんでいる。

ゆらめきの中から影のない者たちがゾロゾロと歩いてくる。皆、裸足だ。襤褸をまとっている。鍬や鎌を振りかざしている。鉈をぶら下げている。筵旗を押し立てている。

村に押し寄せてくる建売住宅やプレハブ住宅、そして高層ビルのあいだへゾロゾロと歩いていく。

まるで、雑草のむれだ。

だが、そこに、私だけがいない。いや、私の割り込む隙がない。

恐ろしくなって、目を開けると、私を囲んだ草が揺れている。


私は、部屋に戻り、パソコンの前に座る。ふたたび『草の人』を開く。

雑木山

何もかもを
忘れてしまいたい午後がある
もっと過去の方へと

歩いて行きたくなる不思議な光に出会うことがある
それは遍歴した者らへと繫がる道なのか
それとも足踏みオルガンのもれる窓なのか

ぼくの目はどんよりと曇っているだろう
劣化したコンクリートの建物が
傾きながら重なって見えるのだろう
橋がなぜこんなにも遠いのか
どこかで分かっていたのだ
いいやずっと分かりたくはなかったのだ

それでも四月だった
足もとの新しい四月だった
あの雑木山のどこか
なんか懐かしい声のする場所があるような気がして
ぼくはまた歩きはじめたのだ

まだ大丈夫なのだと思う
この薄いみどりを
　ぼくはただの一度も疑わなかった

私も、今はもう消滅した雑木山に紛れたくなって、もういちど目を瞑る。腐れた縄切れのように貧相な道が現われる。裸足の足裏をヒリヒリさせながら歩いていき、雑木山に紛れこむ。苔むした墓石の間を抜けて、さらに深く入りこむ。椎や楠、栗やクヌギ、クマザサや三椏に優しくいたぶられながら明るい山頂に出る。

そこから、草に蔽われた村を見おろす。石を載せた貧しい屋根の上の煙突から、ひょろひょろと炊煙があがっている。悲しい願いのように空に消えていく。

その空に、松岡政則詩集『草の人』が浮かんでいる。風が無作為にページを繰っている。

草のゆらぎに似ている。

風を真似てページを繰ろうと手をだしたら、指を切られた。

草の刃にふれたらしい。

空の奥で、鋭い鳶の鳴き声があがる。

二〇〇六年七月十七日

その哀しみを、ひらいてみる。のぞいてみる。

外村京子詩集『しまいこんだ岸辺』に寄せて

ミナマタ

とめないで
否　のかたちに
とまったわたしの糸切り歯から
よだれのように
不知火のしずくがたれるのを

裂かれつづけた耳は
ざりざりとしか音を聞かないのだから
あなたたちの笑い声もひそひそも

しずかにしびれていく

わずかに身をひいて
あかるくひかる人差し指で
わたしを指せばいい
(うつるよ
　ミナマタがうつる　と)

ひらいてみて
まだ開いたことの無いくちの奥を
のぞいてみてよ
お弁当の塩焼きといっしょに
わけてあげる
(わたしのなかに
　ためていたミナマタ　を)

みぞれてゆく

病名のない教室で
右手が扉にはさまれている
くいちぎろうとしたのは
あなたたちが
そらしながら出した
ほそい舌

いつもさっきの箱にしまわれた
慣れて
見えなくなったわたしの
ひきつれた　ほほ

気にしないで
息を吸って

この詩は外村が編集人であった同人誌「幽」の五号に記載された詩である。彼女は、この前年の二〇〇四年八月発行の「幽」四号に、「これからが素晴らしい季節のロンドンを引き払い、調布に引っ越した。結婚以来十四回目の引越しである。（ここまで来てみれば、引越しというより、単なる移動である）」と記している。

また、天草生まれの外村は、父親が転勤の多い職業だったために、小学校から中学校時代にかけて度重なる転校を余儀なくさせられている。

つまり外村は、現在住んでいる調布市に落ち着くまで一所不定の生活を送ってきたということである。

さて、冒頭に掲げた詩は、その経緯の中で、水俣の学校から他所の学校へ転校した際の体験が下敷きになった詩である。

幼い少女に圧しかかる謂れなき偏見と差別が如何ほどの痛みと恥辱をもたらしたことだろう。もちろん、その差別の背後には窒素水俣工場が引き起こした不知火海の水銀汚染による悲劇が控えている。

最終連の、「いつもさっきの箱にしまわれ／慣れて／見えなくなったわたしの／ひきつれた　ほほ」という四行には、外村の忍従の歳月がしまいこまれている。「さっきの箱」とは、「殺気の箱」であろうが、「ミナマタ」一篇が、この「殺気」をしまいこんだ箱となっている。しかし、「殺気」を「さっき」と平仮名書きし、「見えなくなったわたしの／ひきつれた　ほほ」に、屈折した彼女の悲しみが読み取れる。

そして、その悲しみを、「ひらいてみて」「のぞいてみてよ」という彼女の呼びかけに応じて覗き込めば、否応なしに、彼女をふくむ「ミナマタ」の、現在に至る悲劇に日を向けざるを得ないことになる。「ミナマタ」が、「ヒロシマ」や「ナガサキ」同様にカタカナ書きされていることにも、外村京子の認識が読み取れる。

この認識は、少女時代の認識ではない。彼女の「ミナマタ」体験が、真に経験として精神に根づき、批評性をおびた詩として発露するまで、実に永い時間をかけて醸成された認識なのだ。

「抒情は批評だ」と言ったのは小野十三郎であるが、この言葉を受けて、金時鐘は、「詩というと潤いがある、情感豊かなものだと思っています。漠然と相対的にそういうものが抒情だと思っている。実際は抒情と情感は明確に区別されるもの」（金時鐘著『わが生と詩』岩波書店　二〇〇四年刊）と述べている。これは、朝鮮の詩にも日本の詩と同様に、情感や心情主体の抒情詩に対しても向けられたものでもある。

この言説に照らして外村の詩を見てみると、いわゆる日本の伝統的文芸を代表する短歌にひそむ湿った情感や心情が排除されている。

今回、詩集『しまいこんだ岸辺』（二〇一二年十二月八日　本多企画刊）を読みながら、なぜか八年前に発表された詩篇「ミナマタ」が、くきやかに甦ってきた。そして、『しまいこんだ岸辺』に収録された詩のすべてが、「ミナマタ」同様の認識をもって書かれていることに気づいた。

つまり、湿った情感や心情が排除されているばかりか、けっして高ぶらず冷静に偏見・差別の現実に向き合っているということだ。

ところで、『しまいこんだ岸辺』に収録された詩十七篇のうち「それから」「真珠湾、輝く」「十分の裔」「ふたつのバッグ」「たがいちがいの街」「No place」「我が名はジーナ」「しまいこんだ岸辺」「春宵一刻」の九篇が「幽」に発表されたものである。

「それから」と「しまいこんだ岸辺」を「幽」二号（二〇〇三年八月八日）に発表したのを機に、次々にアメリカ体験にもとづく詩篇が書かれる中で、「ミナマタ」も、これらの詩と並行して書かれた一篇である。

ということは、愛娘がアメリカの学校で日々、経験した出来事をモチーフにしながら、外村は、自らの少女時代がオーバーラップしてくるのを覚えたに違いない。

つまり、愛娘に降りかかる謂れなき偏見や差別は、すでに外村自身によって先取りされていたということだ。

さらに言えば外村は愛娘の痛みに向き合うことで、潜在していた自らの痛みに向き合わざるを得なかったということになる。

四十年以上も前に自らを苦しめ苛んだことと同質なものが、彼女の娘を苦しめ苛んでいる。偏見や差別に満ちた人間世界の内実は、何も変わっていないということである。

そういう意味からしても、『しまいこんだ岸辺』は現在的である。そして、この人間世界の内実が変わらない以上、これからも現在性を失わないはずだ。

ともあれ、彼女にとって愛娘は文字通り分身である。その分身の痛みや悲しみは、そのまま彼女の痛み悲しみである。娘が未だ表現できない痛みや悲しみを理解し、代わって表現できるのは母親である外村しかいない。普通の母親なら娘と一緒に泣くしかないところだが、幸いにも外村は言葉の軒先に生きる表現者なのである。わけても人間の痛み悲しみに鋭敏な詩人である。人間の根源的な尊厳をおびやかすものに対して、彼女は、自らの原体験ともいうべき少女時代の偏見や差別を受けたトラウマもあって、とても神経質であり、他者に対して用心深い。私が彼女に出会った頃は、むしろ他者を受け入れることに怯えているとしか思えない節があった。

しかし、幾分の時を経て分かってきたことがある。

それは、彼女が心を開いて受け入れる他者は、彼女同様に謂れなき偏見や差別に翻弄されながら、それでも愛をもって他者を受け入れようと苦闘している者たちであり、偏見や差別にさらされている者たちに偽善でない態度で接する者だけである。

逆に、他者の痛みや悲しみに対して鈍感であり、鈍感さゆえに尊大である者たちに対して顕わにする嫌悪感や攻撃性には容赦がない。

これも彼女の、心から他者を受け入れたいという思いの裏返しである。

他者とは本来、排除すべきものでも排除されるべきものでもないはずだ。それなのに、そういう悪意をもちながら自覚のない他者の如何に多いことか。そうした無意識の悪意をもつ他者に対してとる、彼女の拒絶の純粋さを、私は、たびたび経験している。そして、さらに自らのうちに無意識の差別者を発見したときに彼女が見せる自己嫌悪の烈しさも然りである。

一見、明るく奔放に見える外村京子の内面は、瘡蓋のできない傷口のようにヒリヒリと痛みを発している。

詩集『しまいこんだ岸辺』は、いわば、そうした外村の傷口といえるだろう。しかし、だからといって彼女は愛娘の悲しみや苦しみ、あるいは寂しさにのめりこまないし、溺れない。自らの悲しみや苦しみ、あるいは寂しさにのめりこまないようにである。その距離のとり方があるからこそ、詩がリアリティをもつ。

詩のリアルとはそういうことだ。言葉が詩のフィルターを透過しているということだ。クソリアリズムなどとは一線を画しているのである。

ただ、こうした自分自身の詩が、そうしたことを実現しているなどという思い上がりはもっていない。自分が書くべき詩は、こういうものではないということを機会あるごとに口にする。日本の古典的物語のかたちを借りた情愛の詩を書いたり、少し軽口を叩くような素振りの詩を書いたりもするが、それさえ彼女が考え、目指している詩とは違うと口にする。

そして、その果てに外村京子が言い出すのは、昭和初期に詩の革命運動の旗手として、常に美と思想の最前線で活躍し、繊細華麗な方法的実験を展開した北園克衛である。

北園克衛は、詩の人生論的解釈を拒絶。コンベンショナルな伝統詩や政治詩を否定した詩人である。

若い日に、外村は、そうした北園克衛の詩に出会って以来、北園の詩の世界に憧れてきた。いまも、その憧れは失っていない。

それはそれでいい。

しかし、彼女の詩の体質に合っているかどうかは、私にはわからない。

いずれにしても、今後、彼女がどういう世界を開示していくか大いなる期待をもって見守っていくだけだ。

最後に、『しまいこんだ岸辺』の中から、最大公約数的な詩を読もう。詩人外村京子の、すべての痛みと哀しみ、寂しさに発する祈りが込められている詩だ。

我が名はジーナ

ながい間わたしには名前がありませんでした
朝のひかりがすこし強かったからでしょうか
ひとりの青年が
わたしの右手に触れてこう言ったのです
ひんやりとした君の手の暗さ
もうすこし　ここにいたい　と

もちろんよ

あなたをずっと待っていたの
と　わたしは応えました

わたしは　たくさんの青年に愛されていましたが
彼は　どのひとたちともちがっていました
背中をさらし
ひかりの粒を噛み
わたしの足もとの暗さも
ふるさとのように　じっと抱きしめて

翌日のことです
わたしの右手は荒縄に縛られました
そこに　わたしのあのひとは吊るされました
わたしを愛したことは罪だったでしょうか
わたしの　ひんやりとした手が
あのひとの記憶をたどりました

あのひとにつながる　たくさんの生贄を
――白い人間だけが愛せるのだ

ふたりを裂いた
ひと　という名の哀しみよ

我が名はジーナ
緑の髪の乱れ散る
夢から醒めることのできない木に
それは
つけられた　はじめての名前です

＊二〇〇六年九月米国ルイジアナ州の高校にある「白人の木」のもとに人の生徒が座ったことに端を発して対立が起こった。（ジーナ6事件）。黒人側の、ながく大規模な抗議行動には「I have a dream…」の演説で有名な故キング牧師の息子も参加した。

二〇一三年一月

冨岡悦子の世界

一、詩集『ベルリン詩篇』から「躓きの石」について

『ベルリン詩篇』（思潮社刊）と題された、とても興味深い詩集がある。詩人でドイツ文学者である冨岡悦子さんの最新詩集である。先年、ドイツとシベリアの強制収容所で極限状況を経験した二人の詩人の、詩作と発語の意味を掘り下げた『パウル・ツェランと石原吉郎』（みすず書房刊）で日本詩人クラブ詩界賞を受賞したばかりだが、このたびの詩集の中で、私が特に惹かれたのが「躓きの石」という一篇であり、詩集の核をなすにふさわしい訴求力をもっている。

躓きの石

躓きの石があった
十センチ四方の鈍い光の金属板に
かつてここに住んでいて

連れ去られ戻らなかった人の名と
死亡年月日と場所が記されている

かつてユートピアという言葉を知って　たじろいだ
知ってからは　自分の場所を測るようになった
それから少しの時を経て
ユートピアの原義がギリシア語で
どこにもない場所と知った
それから少し考えてみると
ない場所を探しに行く人がいることに気づいた
ない場所を探しに行こうね
と誘ったら
肩を並べて歩いていた

私たちの前に
躓きの石があった
十センチ四方のプレートの奥に　ない場所がある

そこには　擦り減った靴を気遣うまなざしがあり
一日を支える鞄があった
奪われた人が切望した部屋の扉を
私たちは無断で開き続けている

補注によると、ここでいうプレートとはナチ政権下で殺害された人が暮らした住居前の舗道に埋め込まれたものだ。つまりプレートの奥の「ない場所」とは、強制連行されて殺害された人が住んでいた場所であり、「ない場所」を、肩を並べて探している人は連行されて殺され、帰ることのなかった人であろう。そして「ない場所」にあるはずのない部屋の扉、「奪われた人が切望した部屋の扉」の奥の「ない場所」がユートピアというのなら、そのユートピアは、今も絶えない人間の理不尽な行為である戦争やテロばかりでなく、貧富の差を増大させるグローバル経済をも告発している。また、アメリカにおける黒人差別の再燃や、我が国での障害者大量殺戮などを生む社会病理も鋭く問われている。

そう思えば「躓きの石」とは数で括ってはならない、かつて確かに存在した個々の死者たちの尊厳であろう。だが今は不在者である。今、此処にいるべき者がいないということが「ない場所」と重なって問いが発せられている。

不在者から今、此処にいる私たちに。


二〇一六年九月、朝日新聞連載「記憶の森から」掲載

冨岡悦子の世界

二、詩集『反暴力考』について

一、未来の悲鳴が聞こえる

二十一世紀も、すでに五分の一が経過しようとしている。しかし、この頃、アメリカ先住民のナバホ族の「自然は未来の子供からの預かりもの」という諺がしきりに思われる。それは人間の限界を超えた危機的状況が上死点に達しようとしている世界に向き合っていると、未来からの悲鳴が聞こえてくるからである。

そんな現在の人間世界のありようを「暴力」的と捉えて痛切な問いを投げかける詩人・冨岡悦子の詩集『反暴力考』（響文社刊）が届いた。31の断章からなる未来を案じての連唱である。すべてを引きたいが、その一部を紹介する。ポーランド出身のロシアのユダヤ系詩人オシップ・マンデリシュタームの言葉「そして思いおこそう／われわれにとって地球は／十の天国に値するということを」を引用して展開する連唱の19を読もう。

反暴力考19

できるけど　しない　もっと　はやく歩いて　時間を稼いで　約束の時間に　間に合わせたいけど　急がない　ここで　とまって　手をさしのべたら　間に合わないけど　転んだ　おばあさんの時間がこの道で　止まっている

ダルムシュタット　からの　ニュースです　過去六〇年間の　宇宙開発の結果として　宇宙ゴミは　約七五万個　飛んでいます　弾丸となって　地球の衛星軌道上に　幸福な奴隷のように　おし黙ってまわっています

「塵塚」と書いて　はきだめ　と読みます　百年以上前に書かれた詩です　空はかっかと爛れてる　膿んだ空気は　癒えるまもなく金属のかけらに　こすられて　かさぶたが　もう　ふさがらなくて私たちの　空は　塵塚です

こわいけど　私は　手を挙げない　カウントダウンに入った　星の
終焉を逃れる　宇宙船の抽選に　私は　手を挙げない　籤に当たる
人と　顔をゆがめる人が　いるなら　胃のなかに　錘を垂らして
この星と　終わる支度に　腹を据える

この詩を読み終えてマンデリシュタームの言葉を再考すると、現在、人類が軍事費を含む宇宙開発にかける費用は、まさに暴力的である。生物が生息できる環境の星が地球以外に無いことを考えれば、「十の天国」の比喩が正鵠を射ていることは明らかだ。こうした事態に「手を挙げない」態度を表明する冨岡悦子に私は双手を挙げて賛成する。この詩集は、劣化しつづける世界への警告の書である。

二、追いつめられる若者たち

現在、私たちの生きる世界は教育の機会さえ与えられない被差別者・貧困者・難民などを包含している。一方、教育の機会が与えられている先進国では学歴や能力の選別が加速化し、大人社会だけでなく子供社会にも効率主義が蔓延している。その結果、行き場を失って追いつめられた者が増えつづけている。これもまた弱者に対する「暴力」と言えるだろう。

冨岡悦子の詩集『反暴力考』は、劣化をつづける政治や経済に翻弄されてきた世界の負の記憶はもちろん、現在の負の側面から目を逸らさない。とりわけ、未来からの預かりものである青少年に寄り添った視点をもつ詩には、私たちの無自覚な世界意識を覚醒しつづけるものがある。断章の11を見てみよう。

反暴力考11

私はここで選別される　ベルトコンベアーに載ったトマトみたいに
傷があれば　とり除かれ　形が悪ければ　よけられる　お約束通り
リクルートスーツを着て　パイプ椅子に座らされて　面接を待ちながら　私はずっと　でんでんむしの歌を　反芻している

掌に汗をかいて　足のうらも　嫌な感じに湿っぽい　そもそも御社っていうコトバが気持ち悪い　でも私は午前中からきっちり働いて
毎月お金をもらうんだ　でんでんむしむし　かたつむり　スーツの襟から　つの出せ　やり出せ　あたま出せ

私のアパートの東側に　高いコンクリート壁が立っていて　いつも

湿っている　久しぶりに窓を開けて　気がついた　カタツムリが
大発生している　ちょっと見惚れるぐらいの　繁殖ぶりだ　昆虫図
鑑を調べたら　カタツムリって　雌雄同体って書いてある

個体に生殖孔はひとつ　その内部に　雌雄二つの生殖器があるんだ
つまり　露草が　動いているようなものなのかな　カタツムリは
小さくても殻がある　汗でよれたスーツは殻にもならない　だから
私は　うつむいた顔をあげて　つの出せ　やり出せ　めだま出せ

この詩の主人公はマニュアル通り面接の予行演習をしてきたようだ。就職のためとはいえ自分を取り繕っている。本来の自分ではない殻の中に憂鬱を囲っている。カタツムリと比べると本物でない殻。でも美しい露草と同じ雌雄同体のカタツムリを思いつつ、嫌でもお金をもらうためカタツムリの歌で奮起しているのだ。面接の圧迫感に負けまいとして。

三、「暴力のない未来」夢みる必要

冨岡悦子詩集『反暴力考』の帯文に「時代はいま未来を見ようとしているのか」という一節がある。ここで言う未来とは、詩集のタイトルからして暴力のない未来と解釈する。だが暴力のない未来と言うのは簡単だが実現は容易ではない。それでも私たちは未来を夢見る必要がある。

冨岡は詩集の覚書でシベリア抑留から生還した詩人石原吉郎の「ペシミストの勇気について」から「ヒトが加害の場に立つとき、彼はつねに疎外の孤独により近い位置にある。そしてついに一人の加害者が、加害者の位置から進んで脱落する。その時、加害者と被害者という非人間的な対峙のなかから、はじめて一人の人間が生まれる。『人間』はつねに加害者のなかから生まれる。被害者のなかからは生まれない」という一節を引き、「足もとがぐらつくたびに、抱きしめてきた言葉だ。私は、石原のこの問いかけを手放さない」と述べる。そして、この問いが詩集全体の通奏低音となって、私を問いつづける。断章の29を読もう。

反暴力考29

大きなガラス窓の　むこうがわで　木の枝が　揺れている　斜面で
大木になった　ソメイヨシノの枝に　モズが一羽　飛び移ったのだ
冬の弱い光を　かきまわすように　モズはくちばしを動かしてから
飛び立っていった

モズが去ったあと　その重量だけが　枝に残っていた　大きな木の

その枝だけ　揺れていた　去っていったモズの重さと　揺れる枝を
私は　心のなかに　そっと落としてみた　なかったことにできない
出来事を　天秤の一方の皿に　乗せるように

力の応酬は　すでに　モズと枝の　あいだにもある　そこに　枝が
あるから　鳥は乗り　枝は受けとめる　その応酬を　加えるものと
受けとめるものに　分けたがるのは　私の　さみしい　こころのゆ
えだ

暴力とは　私が　私であることに　由来する　私という個が　なく
なれば　私は　ようやく　暴力から　罷免される　声をうしない
重さをなくす　けれど　そののちになお　揺れるさみしさを　冬の
乾いた空は　いつか　受けとめるだろうか

私たちの世界に生起したことは、まさに「なかったことにできない出来事」である。だが、なかったことにしようとするのは何も独裁者に限らない。「私という個」のうちにも存在する。硬質だが、この痛切な問いに問われているのは富岡も私たちも同じである。

二〇二二年十月　朝日新聞連載「記憶の森から」

世界と向き合う詩

草野信子詩集『持ちもの』のこと

一

私たちは、今、ここ、この時、この時代を生きている。だからと言って、今、ここ、この時、この時代の現実だけを生きているのではない。ちょっと考えてみると、過去の悲惨な歴史を内包した現在を生きている。

戦争や自然災害はもとより、おぞましい事件や原発事故などに加えて、寛容さを失った宗教対立や人種差別など、いつまで経っても終息しない出来事を引きずった世界を否応なく生きている。

そんな世界の現在と向き合いつづける詩人・草野信子の新詩集『持ちもの』（ジャンクション・ハーベスト刊）が出版された。

表題作となった巻頭の詩「持ちもの」を読んでみよう。

持ちもの

とるものもとりあえず
子ヤギを運ぶ麻袋に　あかんぼうを包んで
ただそれだけを胸に抱いてきた

テントの三つ目の夜　眠らない子の耳に
草摘みのうた　歌い
砂の降るおはなしを　ささやいていると

おさないいのちのほかは
何もかも残してきた故郷から
ことば　だけは
持ってくることができたのだ　と気づく
荷物検査所でも　まさぐられなかった
わたしの持ちもの

のばした脚の指さきが
ひんやりとした皿のふちに触れる
せまいテントに
幾千万のことばは
小さなひとのすがたで横たわっている
深く　果てしなく　生あたたかい容れもの

必ず　生きのびよう　と思う

この詩は、おそらく、どこかの国で起きた天災か戦争による避難民がモチーフだろう。しかし私は二〇一一年三月十一日に起きた東日本大震災の記憶を下敷きに書かれたものと思いたい。そして、この詩は着の身着のままで赤ん坊だけを抱いて避難所に逃れた若い母親に成り代わった草野さんの思いである。それは幼子に「砂の降るおはなしを」ささやく「ことば」だけは失わなかった母親をはじめ多くの避難者の最大公約数としての「ことば」でもあり、大惨事に紛れてしまいそうな小さいが大事な出来事を語り継げる「ことば」であり問いでもある。また、そんな問いとしての「ことば」を「もちもの」として世界と向き合おうという草野さんの決意表明でもあるだろう。

　そんな向き合い方で孤児になった子供を通して世界のありように問いを発する。また沖縄のアメリカ軍基地を問い、我が国のおかしさを問う。その数々の問いが草野さんの「持ちもの」で、忘れてはいけない出来事に対して目を逸らさず、静かに問いつづける。

二〇二一年三月十一日

二

草野信子さんの詩集「持ちもの」の数ある問いの中に、日本国憲法に関する問いがある。

この問いは、憲法改正が国会審議もせずに閣議決定されてしまうような我が国の政権政党のあり方への問いである。その一つに憲法十三条が自民党草案で「すべて国民は、個人として尊重される」から「「全て国民は、人として尊重される」と「個」が消されたことをきっかけに書かれた「草案」という詩があるが、この詩については二〇一七年に発表された時に本コラムで紹介したので、「教室」という詩を読んでみよう。

教室

それは
遠い日の　やわらかなひかり

先生は　黒板に　日本国憲法　と書いて
その横に　三つのことばを書いた
ガラス窓から射しこむ　ひかりに
ほこりの粒子が舞っていた　六年生の教室
戦争をしない国になりました　と　先生が言った
それは　声

英単語の練習　数学の問題　漢字練習
朝の十分間の　自習時間
木曜日は　日本国憲法　を　少しずつ読んだ
ときどき　先生が来て　ゆっくりと音読してくれた
社会科は　憲法を読んでいこう
そう言った　担任の先生
わたしたちは　練習問題に飽きた十五歳だった

それから
それは　ことば　になった

子を産み　育て　父を送り　母を送った
一生　と呼んでたがわない　年月に
それは　開くことのない本のなかにあったが

遠い日の　やわらかなひかり
朝の教室の　深くあたたかい声

書きかえよう　としているものが
ことばを　削り　つけたしているので
残りの生の日々　日本国憲法　を　少しずつ読む
ときどき　先生が来て　ゆっくりと音読してくれる

二連は小学六年生のときに先生が黒板に書いた「三つのことば」は憲法の三大原則「国民主権」「基本的人権の尊重」「平和主義」だろう。「戦争をしない国になりました」と言った先生は、一九四九年生まれの草野さんを考えれば戦争経験者である。戦争に苦しんだ先生の言葉に安堵感がうかがえる。その先生の言葉と声はいまだに著者の心に残っている。

そして三連は中学生三年生の時に憲法を音読してくれた先生のこと。卒業後、憲法書を開くことなく過ごしてきた。だが、憲法の三大原則が国民を無視して書き換えられる危機感を覚え再び読み返し、平和憲法を問い返している。

三大原則を心に甦らせながら。

二〇二一年三月の朝日新聞連載「記憶の森」から

痛みを伴う旅のこと

柴田三吉詩集『旅の文法』のこと

一

最近、詩友・柴田三吉の詩集『旅の文法』（ジャンクション・ハーベスト刊）が届いた。とても興味をそそられるタイトルに魅かれて、早速、ページを繰った。

先ず「靴を洗う」という一篇を読んで、柴田の世界に踏み入ってみよう。

靴を洗う

その地から帰って靴を洗う

夜半　風呂場にかがみ

洗剤をつけた歯ブラシで
こまかい土をこそぎ落とす
見えないものを含んだ土

タイルをスポンジで磨き
頭からシャワーを浴びる
見えないものが付着した髪を丹念に洗い
つねとは異なる泡を流す

水は渦を巻いて排水口に吸い込まれ
多感な海に注がれていく

暗い家の中　灯りをともし
小さな影を映すわたしは
罪を犯したのか

（夜の向こうの見えないもので覆われた地）

帰らない人がいる
帰りたいのに帰れない人がいて
仕方なく帰る人がいる

その地から戻るたび　靴を洗う

見えないものは
見えるものになるのだろうか
わたしたちを感光板にし
黒い光の粒となって

この詩は一読、津波に襲われ、放射能漏れを起こした原子力発電所のあるフクシマの旅から帰宅しての行動をモチーフにしている。この詩が、地名を使わずともフクシマと分かるのは、すでにフクシマが放射能汚染による受難の地であることが周知のものであるからだ。もし、この詩を読んでそれが分からない者がいるとしたら、今、あらゆる面で危機に瀕している世界と正面から向き合ったことがないにちがいない。

だが柴田は、今この世界で悲惨な状況に置かれながら苦しんでいる人々の住む土地の実態とつぶさに向き合うため、我が身を駆って旅をつづけている。その柴田が旅から帰って靴を洗いシャワーを浴びている。汚染されているのではないかという怖れとおびえを抱く自分の疾しさと痛みとを感じながら、自分自身に「罪を犯したのか」と問う。もちろん、（夜の向こうの見えないもので覆われた地）フクシマを思いながら、その地に「帰らない人」「帰りたくても帰れない人」「仕方なく帰る人」のことを思いながら、「見えないものは／見えるものになるのだろうか」と問う。その問いのうちに受難者と被災地に対する愛が控えている。しかし、その愛は当事者である被曝者と分かち合えるのか。靴を洗っても落とせない懊悩を抱きながら、それでも旅に出る柴田が向き合いつづけるものは何か。旅で得られるものは何か。

二

柴田三吉の詩集『旅の文法』に収められた数々の詩は、先の戦争で我が国日本に蹂躙された韓国やタイをはじめ、戦中・戦後を通じて今も苦しむ沖縄など、現在も未解決事項が山積している国や土地への旅から得られている。それは先に書いたように、悲惨な状況に置かれながら苦しんでいる人々の住む土地の実態とつぶさに向き合うためで、単なる観光旅行ではなく検証するためであり、その後の推移を見守るためである。また、それは罪を犯しつづける人間の所業ばかりでなく、人間世界に希望や愛の種を探す旅でもある。ともあれ、柴田の旅がどういうものか知るために、表題作「旅の文法」を読んでみよう。

旅の文法

はじめて訪れるとき
ただひとつの文法を覚えていった

トイレはどこですか

知らなくても死にはしないが
迷路のような路地を駆けずりまわり
途中で力尽きることもない

たったひとつの文法で
いくつもの場面に応用できる

バス停は　郵便局は　薬局は
市場はどこですか

けれど忘れると
いのちにかかわることもある

小さな木橋　レンゲの野を一歩越えたとたん

寒さをしのぐテント
かわきを癒す井戸　シェルターは
境界線はどこですか

歩き疲れた山里で
門前の夕暮れを掃いている少年僧に
たずねてみる

愛はどこですか

彼は一瞬　放棄の柄を見つめ
はにかみながら／自分の胸を指すのだ

この詩にも地名は出てこない。出てはこないが、これは韓国の旅がモチーフである。私も韓国に出かけるようになって二十三年になるから分かる。そして路地が街の入口に、日本の植民地支配からの三・一独立運動（一九一九年）の起点となったタプコル公園（旧パゴダ公園）のあるソウルの仁寺洞《インサドン》であり、地下鉄の駅が北朝鮮の核ミサイルを想定したシェルターとして設計されていること。境界線が南北を分断する軍事境界線であることなど手に取るように分かる。また少年僧に出会った山里が境界線の近くにある寺ということも。

しかし、そういった説明は一切せず、「たったひとつの文法」をもって少年僧に聞くのである。「愛はどこですか」と。それに応える少年僧が自分の胸を指すしぐさが感動的だ。少年僧のしぐさによって生じたであろう柴田の胸の痛みまでが伝わってくる。そして、その根源的な問いは、恐らく他の受難の地を旅するとき柴田が必ず携えていく問いなのである。

三

柴田三吉の新詩集『旅の文法』が届いてすぐ一読、「痛みを伴う旅の中から紡ぎだされた詩の数々に撃たれています。この詩集と正面から向き合う人は、必ずや、今、この時代と世界を生きる自分自身を問い直すことになるでしょう」と書いた。そして今、一篇一篇をじっくり辿りながら、問われているのは他ならぬ私自身であることに思い至った。そして、この時代と世界を問い直す問いは、これまでも柴田が柴田自身に向かって発しつづけてきた問いであることを改めて思った。こうした問いを長く持続する中で柴田は今、劣化し悪化する我が国の危機的状況の中で、どのような問いを詩集に込めたのか。問いは一つに絞りきれないが、中でも重要な問いをふくむ「禁裏」という詩を読んでみる。

禁裏

（いま憲法をいちばん守りたいのは天皇家
なんですよ、と傍らに座る人が言った）

菊の紋章が入った煙草を　父は
コタツに集まった子どもたちに見せた
喫えないのにマッチを擦り
玉座に座ってきたんだ　と笑った

長じてわたしは　父とともに
禁裏に出入りするようになった
父が死んだのちも　深い森の
ほの暗い闇のなか
中世の職人たちのように
槌音を響かせた

ある秋のこと、竹箒を持った一団がやってきて小道の落ち葉を掃きはじめた。翌日も、その翌日も、梢を離れる葉は尽きず、各地から参じる奉仕の一団も尽きず、くるくる風に舞う、果てのない営みを、わたしは宮殿のてっぺんから眺めていた。

禁裏である
禁裏はなにによって守られてきたのか

逃げるように昭和が去り
平成が即位し　またもや
まことしやかな血の受け渡しがはじまる

（先の戦争を悲しく思います）

わたしも悲しく思っています
寒い村から追い立てられた蝦夷《えみし》のかけら
無一物の男たち　その末裔の一人である
わたしでさえも

詩集に収められた「ズーム」という作品で柴田は福島を故郷とする父親をモチーフにしているが、その父親は神社などの屋根葺き職人で、柴田もまた父親の仕事を継いでいたことがある。そうした経緯で柴田も皇居の屋根に上ったことがあるのだ。その柴田が屋根の上から見た清掃奉仕の光景と、（先の戦争を悲しく思います）という天皇の言葉との対比。そこに急速に右傾化してきた我が国の状況を重ねてみて何が見えてくるか。危うくなっている憲法九条が形骸化すれば天皇家ばかりか国そのものが危うくなる。柴田の問いは国の在り方とともに私たちに突きつけられている。柴田の覚悟も垣間見える問いに向き合う覚悟も要る。

四

これまで柴田三吉の詩集『旅の文法』について書いてきたが、ついに語り得ないものが残ったままである。詩は、もちろん語り得ないものを言葉によって指示するしかないものだ。しかし柴田が語ろうとして語り得ないものと、私が語ろうとして語り得ないものは、人間を主語とする世界そのものの深部に決定的に存在している亀裂で、愛さえ無化してしまうのではないかという怖れを抱かせるものだ。その亀裂から深淵を覗けばどうなるか。人間は、もしかしたら未来に向かって世界を閉じようとしているのではないか。次の詩は、そんなことを思わせる「創世記」と題された詩である。

創世記

削れば大丈夫。そう言って、地面をはがすのです。それでもだめなら、もっと深く掘りましょう。立ち枯れの落ち葉が集められ、苔むした屋根が落とされ、村の辻々が掘り返されて、砕けた墓石、ごっそりの骨、ようやく土に還れると思っていた、ご先祖さまの魂まで袋に詰められたのです。

押し込められ、膨れ上がった袋の山。まぜこぜになった記憶は、本家のじっちゃんが歴史と呼んだものでしょうか。でも置き場所がありません。なくなった地面に歴史を置く場所はありません。虚しい風景を前にした若者は、おれの土を返してくれよ、と額を上げてつぶやいたのでした。

するとあの人たちがやってきて、地面を投げてよこすのです。さあ返します。あなたの大切なもの一切合財ひっくるめて。いつのまにか無数の袋で島が築かれ、あの人たちは、ほら、あなたの望んだ土地が戻ったでしょう、ふかふかした記憶の上で暮らしてくださいと言うのです。

わずかに発光する島は、夜になると、地球の外
からも見えるのでした。列島の、腰椎のあたり
に刺し込まれた、輝く虫ピン。若者はその真ん
中に井戸を掘り、鍬を打ち、畑をつくり、牛と
ニワトリを飼いはじめました。ただひとり、た
ったひとりの創世記。

やがて発熱した島は膿み、井戸は涸れていきま
した。袋のなかで羽化したのか、真っ白い蝶が
舞っています。降り立つ地面のないものたちが、
風花のように暗い空を舞っています。

これは反語的創世記である。絶対的な虚無が顕現した人間不在の世界。「降り立つ地面のない」世界を風花のように舞っているのは死者たちの魂。だが、やがて風花も記憶とともに暗い空に消えはしないか。汚染された大地を耕す光景に、希望をしのぐ絶望感が漂うのは、柴田が閉塞感を打ち払えない世界に、痛ましくも終末を予感しているからだ。

五

最後に柴田三吉の詩集『旅の文法』から、巻頭収録の詩「椎の木林」を読んでみよう。

椎の木林

山のふもとの椎の木林で
かなしい　を見つけた

植物博士は椎の木の新種だという

そのとなりでは
さびしい　と
いたいたしい　が見つかる

秋になると　しいは
一斉にどんぐりをつけたが

どれも堅くて苦く
リスやクマでさえ食べられない

しいの新種は　ことばの数だけ増え
ねじれた枝を広げていくけれど
そのまわりでは年を経た椎の木が
朽ちているらしい

やさしい　は
おかしい　は
うれしい　はどこに　と
さがし歩くひとびと

おはなしの消えた場所には
だれも入ってはいけないという
ひとも　リスも　クマも
鳥たちも

千年　一万年
つよい風が吹き抜け
つめたい雨にさらされ

ときおりしずかな陽が降りそそぐ
あの椎の木林

椎の木林で見つけた「かなしい」が椎の木の新種だという、何やら怪しい植物博士は「さびしい」や「いたいたしい」を発見していく。しかし、その「しい」は秋にどんぐりを実らせるがリスやクマも食べられないほど堅くて苦いどんぐりである。そして「しい」の新種は言葉の数だけ増えていくのに比例するように、周囲の椎の古木は朽ちていく。これは一体何の隠喩か。「やさしい」や「おかしい」「うれしい」を探し歩く人々が登場するが、それらがありそうな場所は人も鳥獣も立入禁止。それが千年も一万年も続いている世界。それが椎の木林なのだが、この椎の木林は危機に瀕した現在の世界とおなじく悲哀が増し、希望がもてない椎の木林なのである。増えていく「しいの新種」には「くるしい」や「やましい」に加えて「おそろしい」などの新種もあるかも知れない「おどろおどろしい」世界だ。その一方で「すがすがしい」や「はればれしい」などの椎の木はすでに朽ちて、心から「たのしい」世界を想い描くことのできない現状が浮上してくる。そして、この椎の木林は今を生きる人々の心の中に広がる陰鬱な世界の隠喩だということが解かってくる。
こうした認識の詩が巻頭にあるのは、日に日に増大する負の感情に苦悩する人々のいる世界を旅する柴田の根源的な動機を示している。植物博士に自身を投影した柴田は新種「むなしい」も発見しているようだ。しかし柴田は虚無に捕われまいと、椎の木ならぬ思惟の木として立ちつづける。今一度、思惟の木・柴田の詩に、この詩から向き合い直さなければ、と思う。

二〇二二年五月の朝日新聞連載「記憶の森」から

受苦から救済へ

なんどう照子詩集『白と黒』を読んで

生きていれば思わぬ出来事に遭遇する。四苦八苦（生老病死、愛別離苦）という仏教用語に見られるように、生きていれば避けられない苦しみがある。それらは、しかし何の前触れもなく不意にやってくる。

どんなに受け入れ難いものであれ受け入れるしかない。戦争や交通事故、殺人、あるいは自己の不注意によるものまで数え上げればきりがない。そしてそれらは民族・男女・年齢に関係がない。それらの危難、苦難に耐えきれずに自ら命を断つ者もあれば、何とかして生きていく者もいる。受苦と救済はひとえに人それぞれの生き方、つまり悲観的に生きるか肯定的に生きるかによる。

こうしたことを改めて考える機会を与えてくれた詩集が手元にある。大阪在住の詩人、なんどう照子さんの詩集『白と黒』がその一冊で、初めて出会った詩集である。

なんどう照子さんは母子家庭。愛し合って結婚した娘婿を交通事故で失うという辛い経験をもっているが、自らの不運は不運として引き受けながら、世界中にいる受難者の痛みも我が身のこととして引き受け、代わって死を問い、生を問う。
「冬の蟬」という散文詩一篇を見てみよう。

冬の蟬

私たちはきっとだれもが　だれかの生まれ変わりなのだ　幸福なうちに死を迎えた人というよりは　なぜか非業のうちに果てたものの命を　かわりにうけつぐために　この世に使いのために　よみがえったような気がするのだけれど　ふと自分のみちかに　ある日あたらしい命がめばえてくるとき　大きな声ではけっしてそのことを　あからさまにはしないのだけれど　こころの奥の　深みに帰っていったとき　ああああの子は……と呟いて祝福や奇跡を確信している　私はあの日　だれを変わって生まれてきたのだろう　非業の人はだ

れだったのか　そう感じ思うとき　自分の中
の命の熱さがひときわになる　ある日川のな
がれにイワナが鳥に狙われてなかまのだれで
もない　自分の身におきた不幸をそのままに
ひきうけて空にかえっていったことはだれも
しらない　しらないはずなのに　命の深みか
らことばになって　ほとばしることがある
どこだろうあれは　寒い国のイタコとかいう
死者の声を呼びよせる人のように湧き上がっ
てくる感情　あるいは震えるような実感　そ
のような稀に訪れる未知のものをだれもがひ
としなみ　命の底に抱きかかえて生れたのだ
とは言えないのだろうか　私はこのごろ闇の
ぬくもりを確かに感じる　闇の中で果てたも
のの命　たとえば冬の土の中で成虫にはなれ
ず生まれることなく　ひっそりと死んでいっ
た冬の蟬の　なくことのなかったその一生が

声にならなかったなき声が　いま私の詩の一
行一行に　なっているに違いないと思えてな
らないことがある

この詩は詩集の最後に置かれているが、なんどう照子さんが自らを投影した詩のあり方を語っている。

この詩を起点にして詩集を読み返すと、「空をゆくイワナ」という一篇が「冬の蟬」と対をなしていることが分かる。しかし、それはそれとして重要なことは「冬の蟬」の中にある「寒い国のイタコとかいう　死者の声を呼びよせる人のように湧き上がってくる感情　あるいは震えるような実感」という感情の発露である。

そして、「うまれることなく　ひっそりと死んでいった冬の蟬の　なくことのなかったその一生が声にならなかったなき声が　いま私の詩の一行一行に　なっているに違いないとおもえてならないことがある」と詩を閉じる。しかし、「冬の蟬」という一篇の詩をもって詩集を閉じたところが新たな詩の展開を予感させる。

彼女は自分自身を媒介にして甦る死者を「冬の蟬」に集約し、自らに甦る死者の象徴として物言わぬ死者たちの代弁者たることを自覚しているということだ。この自覚もまた、生きているかぎり終わらないものに向かっていく覚悟でもあるだろう。

ここで「空をゆくイワナ」を見てみよう。

空をゆくイワナ

九月はじめ　白神の源流へと続く粕毛川を歩いている時だ
空の青さの中から一点の黒がみるみる広がり　タカかトビか
わたしの眼に見定まらぬ鳥となってあらわれた
鳥は鋭く川面を突き破り　すばやく再び舞い上がる
くちばしに一匹の魚をくわえ　すでにはるか上空にいる
のどかさに川中をゆく旅人のわたしたちは　空を見上げて呆然とする

その時　空と川面にあった出来事
鳥と魚にあった運命
わたしは　鳥ではなく魚だった
川のながれのいわかげにかくれ棲む
イワナの群れの一匹だった
ひかりにさらされまいと

身を寄せ合い
川にひそみ　川をのぼり
イワナも生を旅するものだった
卵をはらみ　子を残し　生みを苦しむものたちだった

鳥に狙われたある日
なかまの内のほかの誰でもなく
それがわたしだったことがうれしかった
魚のイワナのなかまたちは
連れ去られたわたしを仰ぎ見て
別れをおしむこともできなかったが
鳥とともに空になったわたしは
安堵のうちにさよならを言った

死者たちはいつもイワナだ
空を飛んでいったイワナだ

白神の源流へと続く粕毛川を歩いている時　わたしは
突然の死にさらされて　いってしまったひとたちからの
遠い　風の　中にいた

「冬の蟬」では羽化することなく土の中で死んだ蟬の幼虫に、この詩では、鳥にさらわれたために水の中で死ねなかったイワナに自分自身を同化させている。これが、なんどう照子さんの死者との交わり方であり、詩の原形質である

人間も動植物もクローンでないかぎり一つとして同じものはない。しかし、形状は違っても原形質は変わらず伝えられながら継続していく。いわば原形質流動である。生と死も原形質の中に組み込まれている。

ところで私は、生と死は一対のものであると考えている。生を享けた瞬間、死も享ける。言えば、生と死が一つの殻に入った落花生のようなものだと思っている。

つまり、生死一如ということだ。それなのに、日頃は死を想うことなく生きている。

「メメント・モリ」という言葉がある。ラテン語で「死を想え」という言葉である。これにソクラテスの「哲学とは死のリハーサルだ」という言葉を併せてみると、詩を書くことも死のリハーサルである。

詩集『白と黒』に引き寄せてみると、この二つ詩作を通じて実現されていることがよく解る。

ただ詩集を丹念に読んでいくと、なんどう照子さんの想像力は自分自身や身内の死を越えていく。「町」「白い夜の底で」「ゆくえ」などでは東日本大震災で失われた町や人、あるいは生活へと向かっていきながら、とりわけ集団で避難したのに失われた小学生たちに、生きていれば待ち受けていた家族にまで及んでいく。

このように自分の暮らしの領域を越えていく想像力は世界中で増えつづける難民や、動植物にまで広がっていく。つまり、理不尽に奪われ、失われる他者の命にも魂にも我がこととして向き合っていくのである。

そして、それら声を失った死者たちの声が詩集の中から混声合唱の歌声のように美しく哀しく洩れてくるのを読者は聴くだろう。まるで教会から洩れてくる賛美歌のように、詩集の中から洩れてくる鎮魂歌を聴いているようだ。その響きは聴く者の魂と共鳴しながら空へ消えていき、魂だけになった死者にも届いているに違いない。

さて、ここで人間存在のありようについて、その認識と憧憬を形象化した「蝶」を読んでみよう。

蝶

一頭　二頭……

と　数えるらしい
蝶を数えるとき
と聞いて
私の空を
背中に羽をひろげた象が
ひらひら飛んでいった

たちまち
一頭の
重さに
耐えかねて
私は韃靼海峡が苦しくなる

夏休みの宿題は
標本箱の
蝶々に憬れた
とても手におえない

優等生

虫ピンで
胸を突き刺されて
きれいに並ぶ
蝶の標本

一頭ずつ蝶は
隣り合って
気持よさげに
箱のなかで
ねむり続ける

空は青い
波は静かだ
風に乗ってどこまでも
海峡を渡っていく

漂う
胸底にめがけて
突き刺さる何本もの痛み
虫ピンではない
言葉の破片や
思いのトゲに
蝶の夢を
飛ぶことなど
ないまま私は

一頭のニンゲンの身を
世間の波に
投げ出して
羽を探す

韃靼海峡と蝶とくれば、安西冬衛の詩「春」が想起される。「てふてふが一匹韃靼海峡を渡って行った」という有名な詩である。

おそらく、この一行詩に触発されたのであろうが、蝶の数え方が一頭、二頭と数えることに驚き、軽やかな蝶を数えるのにふさわしくない数え方に違和感を覚えた瞬間、一頭の象が空を飛んでいるのを空想する。しかし、その重量で韃靼海峡を飛ぶことは適わないことに気づく。そして「私は韃靼海峡が苦しくなる」とくる。「私の空を」飛んでいたはずの象が、いつのまにか私自身に変化している。

だが、そこから翻って虫ピンで刺された標本箱の蝶に想像力が及び、今度は虫ピンに刺されたまま標本箱の中で「ねむり続ける」蝶が韃靼海峡を渡っていく。しかし、これは作者ではなく、すでに死んでも虫ピンで刺されたままの蝶の夢の形象化だろう。

さらに虫ピンを刺された蝶は作者自身に擬されるのである。この、蝶に擬された作者の「胸底にめがけて／突き刺さる何本もの痛み」は「虫ピンではない／言葉の破片や／思いのトゲ」なのである。ここには作者自身が経験した心ない嫌がらせや、受苦ゆえに乱れることもあったであろう思いがある。そんな欝々した生活の中で、とても軽やかな「蝶」になる夢などもてなかったのだろうが、それでも「一頭のニンゲンの身を／世間の波に／投げ出して／羽を探す」のである。

出来るものならニンゲンから羽化して蝶になりたいという切ない願いが、それこそ虫ピンのように読者である私の胸に突き刺さってくる。ただ、鳥と違って昆虫の場合は翅と表記したい。薄く透けた「翅」とすることで憧憬の痛切さが増す気がするからである。

とはいえ、この一篇が秀作であることに変わりはない。

さて、次に「神様がころんだ」を読んでみることにする。

神様がころんだ

三月が終わりになる前
ちいさな孫に連れられて
幼稚園の創作発表会に行ってみた
参観者がざわめく中
幼い子供たちの作品が
教室や廊下いっぱいに溢れていた
色と形　光と影が踊っていた
ある教室に孫と足を踏み入れたとき
そのクラスは
神様を作ることにしたようだ
ちいさなお守りの中で
神様はどんな形をしてくらしているのだろう
と子供たちは考える

そんなふうにできた作品だった
子供たちがそれぞれ
ねんどで作っていた
まんまる神様　おおきな神様
四角な神様　長い神様
いびつな神様　ひとのかたちの神様
神様がならんで座っている
見て回っていると
だれかの体がふれたのだろうか
まんまる神様が
ころころころころころころころころ
転がり出した
ころころころころころころころころ
床を転がって止まらない
ちいさなお守りの中で
じっとしているのが
いやになった神様だって

いるにちがいない
今日
神様がころんだ

いろんな創世神話が世界各国にあるが、人間は神様が作ったということになっているのが普通である。しかし、この詩では子供たちが神様を作っている。これは、とてもユニークな神話のようでもある。だが、よくよく考えてみると、神様は言葉を獲得した人間によって創造されたのである。どういうことかと言えば、言葉を獲得したことで想像力は虚構の世界をも獲得したのだ。このことは現実の世界とは違う世界を人間が手に入れたということだ。これによって、形而上的な世界と形而下の世界、つまり存在が確認できるものと確認できないものとに分かたれた。神様もその一つである。

ドイツの神学者マルティン・ブーバーは言っている。「人間が神を必要としているように、神も人間を必要としている」と。しかしこれは、人間が神を必要としたから神を創造したのだ。ブーバーは「この世は神の遊び場ではない」とも言っているが、これもまた「この世は人間の遊び場ではない」と言い換えることができる。

しかし何と言おうが、現実世界で生きる人間にとって、人間自身の手に負えない天災、地震や津波、落雷による森林火災などの災いをもたらす存在を怖れ、それを宥めるために人智を越えた存在を想定し、それを神として怖れ敬うことで受難から逃れようと生贄まで捧げて身の安全を祈願したのである。しかし神様といえども、所詮、人間の似姿、あるいは写し絵。過ちも起こせば、勘違いもする。神頼みといえども当てにはならない。その証拠に神仏を祀る神社仏閣が天災によって跡形もなく消滅する。それでもなお、人間は神社仏閣を復元する。そして、そんな切ない願いをやめられない人間。思えば哀しくもおかしい人間という生きもの。

「神様がころんだ」には、そんな哀しさとおかしさが投影されている。

ただ、詩の中で神様を作っているのが幼稚園生というところに救いがある。敢えて言えば、まだ神様のような未来からの預かりものである子供たちが作る神様も様々で、完全なものではなく「ころころころころころころころころ」転がる、どこか愉快で滑稽な神様である。

この神様が、まだ幼い子供たちの似姿、写し絵と考えれば、救いがある。

さらに言えば、詩人・なんどう照子さんは天秤のように生と死の境で、生と死の重量の微妙なゆらぎを支えている中心軸のように立っている。

「だるまさんがころんだ」という遊びがあるが、この呪文のような言葉を唱えているうちに子供たちは鬼から逃げる。呪文を唱え終わった鬼が「ストップ」と言って振り返る。そのとき、静止できずに、ちょっとでも動いた子が次の鬼になるという遊びだが、「鬼」とは元々、死者を意味する言葉である。もしかしたら、死から逃れるための祭事が起源かもしれない。

余談だが、こけし人形が元は「子消し」という堕胎の道具だったことなども考えわせると、生と死に深く関わっている人形である。まあ、それは措くとして、ご本人が「イタコ」を自覚しているように、あらゆる生と死に謀らずとも関わっている稀有な詩人である。詩人とは巫祝の末裔であるというが、まさに、なんどう照子さんはその一人であろう。

ここで、詩集巻頭の「くじらの森」に戻ってみよう。

くじらの森

足下ばかり見ている
人生だった
疲れすぎて
夕方の空を
久しぶりに見上げると
そこには
風にちぎれる
雲と一緒に
空を泳ぐくじらが

遊んでいた
遠い山並みの向こうには
きっとあるのだろう
くじらが帰って行く森が
死んでいなくなった
わたしの知っている人たちも
そこへ
帰って行ったのだろうか
わたしもいつか
雲のくじらになって
あの山並みの向こうへと
帰って行くのだろうか
死んでしまった子供を
背中にのせたまま
いつまでも泳ぎ続ける
母くじらのように
せつない思いで

待ってくれている
人たちに
もう一度
会うために

この詩では、自らに降りかかった辛い出来事にうなだれている作者がいるが、久しぶりに夕空を見上げて「空を泳ぐくじら」を幻想し、さらに「遠い山並みの向こうに」ある「くじらが帰って行く森」を幻想する。

その上で、「わたしもいつか／雲のくじらになって／あの山並みの向こうへ／死んでしまった子供を／背中にのせたまま／母クジラのように／切ない思いで／まってくれている／人たちに／もう一度／会うために」と願うのである。

この手法は、ここまでに取り上げた詩以外の詩にも用いられている手法である。そして、この手法こそ受苦と救済を内包した、なんどう照子さんの詩の方法であり構造である。もっと言えば、受苦と救済のデリケートな心理を、比喩をもって異化し、悲愴になりがちな現実の経験を美しく造型することによって、読者の感情に訴えるのである。その訴えは「知情意」の知でもなく意でもなく「情」が直接受けとめる。

かつて天才数学者・岡潔は小林秀雄との対談で「数学も情が納得しなければ成立しない」というこ

とを、情熱をもって語っていたことを思いだす。

これを踏まえて詩の世界を見渡してみると、いかに観念的な詩を書く現代詩人が多いかが知れる。そんな中で、なんどう照子さんの詩は読者たる私の腑に落ちてくる。本来、詩とはそういうもので、読みおえたのちに「あゝ！」と感嘆すれば完結する。

詩は知識でも意味でもなく、詩が喚起する言葉を越えたものが実感されること、それが詩のリアリティーなのである。言葉の虚をもって実を創造すること。テーマの大小、喜怒哀楽の浅深に関わらず、驚きをときめきに変換することが大事だ。

そう意味からして、詩集『白と黒』は悲しみや苦しみさえ「ときめき」に変換した詩で満たされている。それは、ひとえに、くきやかなイメージ（映像）と比喩によってなされている。稀有なことだと思う。

ちなみに、タイトルの「白」と「黒」も生と死の比喩とすれば、この詩集に込められた思いが、生も死も作者の存在に対する愛に根差しているはずだ。

十全なものではないが、私の感想が作者・なんどう照子さんの思いに近接していることを願いながら、この稿を終わることにする。

二〇二二年六月十二日　私信

キリスト教詩人たち

金南祚の詩と愛

金南祚《キムナムジョ》という詩人を一言で形容するなら、〈愛の詩人〉ということになるだろう。しかし、日本でいう〈愛の詩人〉とは趣を異にする。

それは、日本で〈愛の詩人〉と呼ばれる詩人たちが主題にしているのは大方がエロースであるのに対して、詩人金南祚が主題にしているのはアガペーであるということである。それも、エロースを包摂したアガペーであり、人間が人間であるための根幹に関わる存在そのものへの、ゆるぎなき愛であり、また、時としてキリストやマグダラのマリアの愛を自らのものとしようとするストイックな愛である。

そして、その激越な詩精神は「人間が神を必要としているように、神もまた人間を必要としている」と、ドイツの神学者マルティン・ブーバーが言うところの〈神と人間〉の根源的関係性のうちに自らの生の基盤を置いたところに発している。

たとえば、「近日断想」の八つあるフラグメントのうちの一つに次のようなパートがある。

彼がいるので
わたしの魂を貴重だと思う
おなじく　彼においても
そうであるように

「近日断想・7」

一見、簡潔で、さりげなく見える四行の背後に、実は、大いなる対話の相手が控えているのである。そして、その大いなるものとの対話のヴァリエーションは、譬えて言うなら扇を構成する一本一本の骨であり、貼られた紙であり、絵模様であり、襞であるもの。どれ一つ欠けても扇と呼べないもの。全体が一つであり、一つが全体であるもの。そして、最も重要な扇の要は〈愛〉である。言い換えれば、それが金南祚の詩である。

彼女が、ひとたび扇をひろげて送るのは詩の風であり、人びとの悲哀や苦悩をやわらげるためである。それ以外の何ものでもない。

さらに言えば、地上に生きる人々の如何なる悲哀や苦悩、飢餓や病の上にも等しくひろがる空があるように、彼女は自らの詩を人々の頭上に置くのである。

そして、そのために自らの生を律し、全身全霊をもって祈りを捧げようとする。その激越なまでの愛の精神は、政治性や社会性を超えたところにあり、苛酷な時代の残酷な人間の所業や、受難においても、その陰に隠れて見えない人間への肯定的要素を取り出して、絶望さえ希望に変換しようとするのである。
例えば、次の作品を読んでみれば、そのことが理解できよう。

絶望に

絶望よ　二人で行こう
最期まで絶望しつづけるというさだめ
死んでも離れぬ契約を交わし
二人　仲良く行こう

行く道々　草臥《くたび》れたら
交互に背負い合いながら行こう
両眼が火のように痛み
とても眠れぬ夜には
互いに子守唄を歌おう

月日が流れ　おまえが大人になり
ついに老いて　この世を去れば仕方がない
わたしが遺業を継ぎ
さらに絶望を深めつつ
いつの日か　ひっそり死のう

この詩を読んで、すぐに私が思い出すのは旧約聖書の「出エジプト記」に題材をとった「神の童話」(権宅明訳　一九九八年・土曜美術社刊『韓国三人集』(世界現代詩文庫)収録)である。その詩の第一連は、次のようなものである。

絶望とはこんなにも美しいものなのか
紅海まで追われたモーセは
恍惚とした眩暈に襲われ海を眺める

エジプトを追われて、紅海の畔まで来たモーセが眼前にひろがる海に行く手を阻まれたとき、思わず口にした独白が私に与えた衝撃は、今も消えることがない。

そして、この一行に出会うまで、私は、真の絶望の先には死が控えているだけだと思っていた。しかし、この一行から、万事が窮したところから美しく新たにはじまる希望もあるのだということを初めて知った。

このことを裏づけるように海がひらけ、モーセの一行は海を渡るのである。

この、聖書の中の余りにも有名な物語を「神の童話」と名づけるところに詩人金南祚の面目が、よく現われている。

さて、こうした詩人金南祚の詩精神がどういうものであるか見てみよう。

…………

広い視界を持つ愛、虚無を除去し、安息を与える愛、より可能であるならば、救いへの信望を含む、豊かな愛を歌いたいものです。

…………

私の詩は、穏やかに読まれたいと思います。ですから、わかりやすく書きます。私の詩は絶望的な色調で終わらせず必ず希望ある暗示を示しておきたいのです。なぜならば、実際に、絶望への誘いがあまりに多く、時代それ自体が過度な危険にさらされているのを知るからです。

よくない事柄と共に、よい事柄を合わせて見る視力を持ち、全霊をかけ透徹した心情の詩を書くこと、そしてそのような生に留まることを望みます。

…………

これは、彼女自身が日本語で書いたエッセイ「詩について」の中からの抜粋であるが、この引用だけでも、彼女が、いかに自覚的に〈愛〉の詩を書いてきたが解かるだろう。

こうした〈愛〉の詩は、何よりも先ず自らの内的飢餓感を癒すところから発し、同じような生の飢餓感に悩む人々へと向かっていくのである。

そして、その詩の風は、まさに、「虚無を除去し、安息を与える愛、より可能であるならば、救いへの信望を含む、豊かな愛」を希求する痛切な祈りから生れたものであるといえる。

詩人金南祚にとって、詩は愛と同義であり、光と同義である。また、生命と同義である。それらを、彼女は、ヨハネのごとく証明するために、絶望への誘いの多いこの世に遣わされてあるという強い自覚をもって詩に向き合っているような気がする。

最近の、世界的危機を醸成するテロや戦争などの政治的危機、また地球規模での環境破壊など、人間存在の基盤を危うくする大きな不安に覆われた暗澹たる世の中において、彼女は、愛の神の使徒、あるいは愛の詩徒であることへの自覚を深めているようだ。

そして、詩人は「あゝ　刀剣においては／その刃渡りがすべてであるように／人の精神は　すべてが精神であらねばならない」（「夜のロゴス」部分）と書き記し、「人の心情に想いを凝らし／大地に忠実な農夫こそ規範として／白紙をしのぐものがあれば書き記し／沈黙にまさる言葉であれば話せ」（「座右の銘」部分）と書きつける。

このような詩句に見られるように、激しく、厳しく自己を律する態度と、大地に忠実な農夫にこそ人間の規範を学ぼうとする謙虚な態度を併せ持つ詩人は、あるべき人の世の姿を、嘘をつかない山川草木に照らして清冽な祈りに昇華していくのである。

その、詩人の祈りの中では、人間のすべての罪業や病、それらから生じる苦悩や悲哀でさえ浄化され、ことごとく〈愛〉として変換される。

人の世で手ごわいのは苦悩
終わることのない苦痛が惹き起こす
慄然とする怖れです
それでもなお愛する愛です

天と地のあいだに
永久《とわ》に変わらず信じられるのは
死と　真実の愛だけです

「マグダラのマリア・4」部分

こうした、強く、ゆるぎない愛への信頼は、いったい何処から来るのだろうか。それは、私にも解からない。

しかし、これほどまで愛に対する絶対的信頼を持つには、おそらく、彼女の生の初めに、ただならぬ愛の欠乏を味わった経験が隠れているに違いない。

もしかしたら、それは人間が言葉を獲得した瞬間に喪失したものと同じものかもしれない。

たしか、西洋に、「人間は誕生とともに、すべてを忘れる」という諺があったと思うが、最近、私は、これは単なる人間の子どもの誕生のことを言っているのではなくて、人間の誕生そのもののことを言っているのかも知れないと思うようになっている。

人間の誕生というのが、つまり、言葉を獲得した瞬間のことであるとするなら、その言葉と引き換えに喪失したもの。

前述したように、愛であり、光であり、生命であるもの。言葉にするなら〈神〉としか言いようのない全《まった》きもの。

この、人間から決定的に欠落したものへの郷愁、あるいは切ない希求、あるいは激しい飢餓感。人間が人間であるために必要不可欠だが、すでに失われてしまっているというアンビバレントなもの。それが詩人金南祚の求める愛である。

彼女が、「永久《とわ》に変わらず信じられるのは／死と　真実の愛だけです」と言うとき、「死」と「真実の愛」は別ものではない。

かつて、トーマス・マンが「魔の山」で「アヽ愛トイウモノ……。肉体、愛、死、コノ三ツノモノハヒトツノモノニホカナラナイ。ナゼナラ、肉体ハ病気ト快楽デアリ、肉体コソ死ヲ生ゼシメルモノダカラダ。ソウダ、愛ト死トハドチラモ肉体的ナモノナンダ。ソシテソコニ愛ト死トノ恐ロシサヤ大キナ魔力ガアルノダ！」と書いたことを教えてくれた兄（詩人）のことを思い出す。

兄は、この、肉体、愛、死に自然を加えてみれば、この四つのものが、実は一つのものに他ならないことがわかるだろうと言っていた。

そして今、金南祚が「永久《とわ》に変わらず信じられる」としているものも、その詩作品を見渡せば、この四つのものであることは容易に理解できよう。

彼女が、この四つに、さらに〈神〉を加えるとしても、それは、やはり一つのものであろう。

彼女の詩にエロースが包摂されているのは、故なきことではない。

この文章の最初に金南祚を〈愛の詩人〉と言ったが、ここまで書いてきて、これを改めたい。

〈愛の不可能性に挑戦する愛の詩人〉と。それが、詩人金南祚である。


詩集『神のランプ』（花神社　二〇〇六年刊）解説

片瀬博子の詩
「肉体」について

肉体

夜半の雨音、叫んでゆく鳥、
どこかこの闇のひろがりの
はるかな高処で、生きていることを
証ししている、ひとつの心臓が——
…………………
心臓はおだやかに脈うち
血は循環している
肉体はなんと従順なものではないか、
人が不従順な不敬虔な

ことばを発している時も、
人が反抗に狂っている時も、
血なまぐさい夢を見ている間も、
それは優しい分泌をつづけ
細胞が星のように増殖している。
自らを神の座につけている狂暴な王も
その肉体が
従属の姿をとっているのを知らない。

（「肉体」一連）

この詩は、クリスチャンでもあった詩人片瀬博子《かたせひろこ》（一九二九〜二〇〇六）の詩「肉体」の一部である。

私たちの生命と密接不離な肉体を、こういう認識をもって考えたことがあるだろうか。私は、この詩に出会って以来、自分自身の肉体についての認識を改めた。

思えば、肉体という生命の器は、心臓というエンジンの絶えざる働きによって維持されているのだ。寝ているときも、起きているときも、嬉しいときも寂しいときも、悲しいときも、である。もちろん怒っているときも嘆いているときも、憎悪や殺意を募らせているときも、である。

胎児として母胎に宿った日から、命尽きる日まで、心臓は自らが病んでいるときにさえ休まず弛《たゆ》まず、肉体を維持し推進しようと脈打ちつづける。

肉体という生命の器は、その始まりから終りまで心臓の働きによって維持され推進されている。そして肉体は、その心臓に従属しているのだという認識のありように驚く。

一方、こういう認識を生み出す人間の思索や想像力さえも、一個の心臓に従属しているのだという考えを引き出させてくれる。

つまり、心臓が停止すれば肉体は滅び、思考も想像力も停止するということだ。思えば、心臓とは実に偉大な臓器である。

ところで、心臓をもつ生き物は、独り人間ばかりではない。鳥も獣も心臓をもっている。彼らの肉体もまた、心臓に従属している。智慧や行動もまた、結局は心臓の働きがあってこそ、なのだ。

私たちは往々にして、肉体は精神に従属していると思いがちだが、本当は逆なのだ。

古代ローマ時代の詩人ユウェナリス（六〇～一三〇）の『風刺詩集』に、「A sound mind in a sound body」という一節があるが、これは（It is to be prayed that the mind be sound in a sound body）の一部であり、「健やかな身体に健やかな魂が願われるべきである」と訳すべきとされている。実は「健全な精神は健全な身体に宿る」として我が国では一般に流布されているものの本来の意味である。

いずれにしても、肉体あっての言葉である。

さて、こうして考えていくと、心と体は不即不離のものであり、心身一如と言わざるを得ない。

冒頭に引用した詩は、次のように展開される。

もうひとりのわたし、肉体よ、
夜よ、眠りよ、静かな満ちひきよ、
お前は何ものかをなだめている仲保者だ、
お前はある猶予の期間を告げているのだ、
だがお前という隠れ家が
壊れてしまったらどうなる？
その肉体が火の中で燃えつくしたなら、
お前という眠りをもたらすものが
なくなったらどうなる？
仮借ないむきだされた世界が待っている。

おお　心よ、
もはやお前を掩うものは何もない。
憎しみよ、憤怒よ、敵意よ、
殺意よ、傲慢よ、冒瀆よ、

地獄とは眠りのない世界のことだ。

（「肉体」二連）

ここにきて作者は、叫ぶ。「もうひとりのわたし、肉体よ」と。そして、心臓を中心として維持されている肉体という全体で一つのものに、「お前は何ものかをなだめている仲保者だ、／お前はある猶予の期間を告げているのだ、」と呼びかける。

ここで「何ものかをなだめている仲保者」「ある猶予の期間を告げている」お前とは、もちろん肉体であるが、「だがお前という隠れ家が／壊れてしまったらどうなる?」と、問いかけられる肉体は、もう、滅びの危機に瀕している肉体である。

作者は自らの肉体が滅びる予感の前で、「お前という隠れ家が／壊れてしまったらどうなる?」「その肉体が火の中で燃えつくしたなら、お前という眠りをもたらすものが／なくなったらどうなる?」と切迫感のある問いを発し、自らの問いに、自ら「仮借ないむきだされた世界が待っている。」と断定を下す。

そして最終連において、パセティックな調子で、目前に迫っている「死」に呼びかける。「おお心よ、／もはやお前を掩うものは何もない。」と。

私は、先に「心と体は不即不離のものであり、心身一如と言わざるを得ない」と述べた。こうした考え方すれば、肉体が滅びたのちに心（魂、あるいは精神と言ってもいい）が残るということはあり

えない
しかし作者は、そうは思っていない。それを証しているのが、「仮借ないむきだされた世界が待っている。」「地獄とは眠りのない世界のことだ。」というフレーズである。

では、「仮借ないむきだされた世界」「眠りのない世界」とは、どんな世界であるか。それは、死後の世界であろう。

つまり、作者は死後の世界を信じているのだ。たとえ、それが「眠りのない世界」、つまり「地獄」であっても、である。その「地獄」で、生前と同じように、「憎しみ・憤怒・敵意・殺意・傲慢・冒瀆」などが待っていようと、作者は死後を信じている。

なぜか。作者は前の連で、「肉体」について「お前は何ものかをなだめている仲保者だ」と記している。よく読めば、ここで大事なのは「仲保者」としての「肉体」ではなく、「仲保者」がなだめている「何ものか」である。

この「何ものか」とは、最終連で呼びかけられている「心」のことだろう。

ならば、この「心」とは死後の世界も永遠に生きるものとして作者に認識されていなければならない。そうでなければ整合性がない。繰り返すが、たとえ、それが「眠りのない世界」、つまり、「仮借ないむきだされた世界」「地獄」であっても、である。

一般的に考えればキリスト者が想う死後の世界といえば、悲哀も苦悩も忍従もなく、安らかに眠ることのできる「天国」であろう。しかし、片瀬博子は「地獄」を想っている。それでも「地獄」を生きるという覚悟をもっている。

真の信仰とは、そういうものに違いないと思う。なぜなら、死後に想定されている世界が「天国」と「地獄」という二元的なものであるなら、死後、「天国」と「地獄」のいずれを生きることになろうとも、自ら選択のできないのが真の姿であろう。

ここまできて、作者片瀬博子は、自分自身が「天国」にいけるなどという能天気なことは思っていないことがわかる。「憎しみ・憤怒・敵意・殺意・傲慢・冒瀆」を抱いて生きたという自覚があるのだろう。さらに言えば、この世も「地獄」だったという認識があるからこそ、死後の「地獄」も生きる覚悟だということがわかる。

詩人は、この世で「不従順な不敬虔な」者であるという痛切な自覚を抱いて生きたのだ。簡単に神の前で懺悔をし、告解をすれば罪を赦されるなどという安直で形式的な信仰者ではなかった証拠である。

二〇一二年六月十八日

片瀬博子の詩

「創世記より」について

一、「堕罪」について

堕罪

汚《けが》しの手は目に見えなかった
生命の泉の中に投げこまれた無色の毒……
依然として楽園は変わらなかった。

だが　アダムの舌の上で　禁断の実の
最後の一かけらが溶け去った時、

燃えさかる火のように
霊の言葉を語りつづけた花は失せ
単なる形骸となった。
不滅の知恵を注ぎつづけた流れは
うつろな水音になってしまった。

彼がその中心であった歓喜する万象は
まざまざと近くにかがやきながら
億万年のむこうにあるように見えるのだった

彼は突然、聾唖者になった身ぶりで
悪夢の影のようにもがいた。

いま　アダムは孤独であった。
地獄の太陽のように。

「汚しの手は目に見えなかった／生命の泉の中に投げこまれた無色の毒……」

この、詩「堕罪」の冒頭の二行をどう読むか。アダムとイヴが存在する前に、すでに人間以外の生命は創造されていた。つまり、人間の存在する前にはいかなる罪も存在しなかったというのが前提とすれば「汚しの手」とは何か。「無色の毒」とは何か。

神の似姿として創造されたアダムはエデンの全てを与えられ、更にイヴを与えられる。しかし、ヤハウェから禁断の果実、つまり「知恵の木の実を食べてはならない」という唯一のタブーが課されたが、そのタブーを犯し「善悪を知る者」となったためにエデンを追放される。それが堕罪であり原罪である。その罪はアダムの内にどう芽生えたのか。蛇によって唆されたからというのが創世記の記述だが、私は唯一のタブーゆえに「無色の毒」、つまり知りたいという欲望がアダムに兆したと思う。もっと言えば「知恵の木の実を食べてはならない」というタブーこそ蛇（サタン）であり、欲望を抑制できなかったせいで自らの分身であるイヴと共に楽園であるエデンを追放された。また人間の元祖として犯した罪はそののち現在に至るまで人間に背負わされることになる。そう解釈すれば、「汚しの手」はアダムを創造したヤハウェの手ということにならないか。アダムさえ創造しなかったら罪が生まれることもなかった。「汚された手」でなく「汚した手」という表現の意味深長さを読みとりたい。

そして「彼がその中心であった歓喜する万象は／まざまざと近くにかがやきながら／億万年のむこ

うにあるように見えるのだった」というのは、片瀬がアダムの心理を推量し、イヴを与えられる前のエデンの園、つまり楽園から永遠に遠ざけられてしまったアダムの落胆を描く。その後アダムは「悪夢の影」のようにもがき苦しみ「地獄の太陽」のように孤独に陥るのだ。このアダムの苦しみと孤独は遥かな未来、つまり今を生きる私たち人間に波及している。それもこれもアダムの堕罪に起因し、その罪は消えることがない。そもそも罪を誘発させたのは誰かが問われている気がするのは私だけか。

2、「兄弟」について

兄弟

ひとりの男が耳を掩って逃げてゆく。
憎しみ、避難、憤り、怨み、呪いの声が
彼を追っているのだろうか。
いや、彼を追ってくるのは
無垢《イノセンス》そのものの声だった。
兄さん、
兄さん、
なぜ殺したの？

あの息絶えた者の見ひらいた無心の目、
砂地にしみていった血。
あの無力な「なぜ?」が
一切のかくれ場の壁をのりこえ
眠りの中にまで侵入してくるのだった。
あの「なぜ?」が逃げてゆく彼の行手に
先まわりして訴えるのだった。
あの「なぜ?」が
あしのうらの踏むすべての土地の
叫びとなってたちのぼるのだった

この「兄弟」という詩は、アダムとイヴの息子カインとアベルの物語が下敷きになっている。カインは農耕者、アベルは羊飼いだが、ある時、ヤハウェに対してそれぞれ農作物と羊の初子を供物として捧げる。しかしヤハウェは兄カインの供物を無視し、弟アベルの供物を受け取る。カインは嫉妬しアベルを野原に誘いだして殺してしまう。しかし、その後カインは殺した弟アベルの「なぜ殺したの?」という無垢な声に苛まれつづける。どこに逃げても「なぜ?」というアベルの問いから逃れられない。でも、その声はアベルの「憎しみ、非難。憤り、怨み、呪いの声」ではないと暗に作者は言っている。

アベルの無力な問い「なぜ?」はカインの苦悩を超えてヤハウェに向かっているように私には思える。なぜならカインの弟殺しの原因は、元はといえばヤハウェが息子二人を差別しカインの供物を拒否したことにある。つまり、カインのアベル殺しはヤハウェへの抗議であり、アベルの「なぜ?」はカインの「なぜ?」をも増幅させていくようだ。そして、片瀬博子はカインとアベルの問い「なぜ?」を自らの問いとしてヤハウェに「なぜ?」を突きつけている。ヤハウェもカインの供物を受け取らなかったことを悔いていたのだろう。アベルを殺したカインを生かし、カインを保護している。

3、「妻」について

妻

告知者は言った。
「妖術者、盗人、殺人者、姦淫者、嘘言者、
ありとあらゆる悪人ども、
ただちに
いま　持っているものから手を離せ。
いま　いる場所から立ち上れ。

猶予ならない神の時だから。
わたしについて来なさい。急げ。
決して後をふりむいてはいけない。」

誰だ？　ふり返った一瞬、
炎上する町の火明りに
いろどられ
塩の柱となっていったものは。

無限に遠ざかる夫と子供たち……
光にむかって走る彼らは
後をふりむくことはできない。

逃亡者の妻よ、
そのなびいている髪の毛の先、
ほっそりした指先、まつげの先まで
結晶がきらめきはじめ

塩の中に　お前は隠れてゆく。
背信の像よ、
罪の町の何を見ようとしたのか。

お前は　二つの世界の間に立つ
刻まれた柱、
力いっぱい駈けている体は
曙の光を浴びているが
ふりむいた驚愕の顔は
闇に包まれている

創世記第十九章に出てくるソドムとゴモラ滅亡に関わる話。ロトとその家族は神によって救われるが、逃げるときに振り返ってはならないと神に言われたのに、振り返ったロトの妻が塩の柱にされたというもの。これもまたタブーを守らなかったための結末である。

ところで、この詩はロトの妻に焦点を合わせたもの。

告知者とは、ソドムを滅ぼすという主の告知を伝えに来てロトにもてなされた翌朝、ロトと妻と二人の娘を逃がした者。そのうちの一人が言った言葉が「決して後をふりかえってはならない」だ。しかし、ロトの妻は振り返った。そして、すでに炎上しているソドムを見ながら塩の柱となっていく妻が見たのは、後を振り向かずに遠ざかる子供たち。彼らは「光に向かって」、つまり生きるために振り向くことをせず走っている。振り向いてしまった妻は髪の毛から指先、まつげの先と結晶しはじめ、ついに塩の立像と化していく。

「背信の像よ／罪の町の何を見ようとしたのか」と詩人は問う。そして最終連。塩の立像となったロトの妻は「二つの世界の間に立つ／刻まれた柱／力いっぱい駈けている体は／曙の光を浴びているが／ふりむいた驚愕の顔は／闇に包まれている」と締め括られる。ロトの立像が立っている「二つの世界」とは光と闇の間、すなわち生と死の間だろう。この生死を分けることになったのが告知者の言葉。つまり主が課したタブー。詩には書かれていないが詩「兄弟」同様「なぜ?」が隠されている。この「なぜ?」は作者から主に向けて発せられた「なぜ?」であり、作者のロトの妻に対する同情と赦しがある。

4、「創世記より」に込められたものは

片瀬博子が「創世記より」の三篇を通して読者に差し出したものは何か? 旧約聖書は戒律の厳しいユダヤ教の聖典である。ここにはまだイエスは出現していない。ということは、ここで問われているのは唯一神ヤハウェである。ドイツの神学者マルティィ・ブーバーンは言っている。「この世は神の遊び場ではない、神の試みの場である」と。このブーバーの言葉をリトマス試験紙として「堕罪」

「兄弟」「妻」の三篇に込められたメッセージには「神の試み」への問いがある気がする。また、ブーバーは「人間が神を必要としているように、神もまた人間を必要としている」とも言っている。片瀬は、この神と人間との相互関係において、ヤハウェの理不尽な行為を問うていいと考えていたのではないか。普通、こうした問いは単なるクリスチャンから発せられることは少ない。そういう意味で私は片瀬博子の詩が他のキリスト教詩人たちと一線を画していると思っている。それは片瀬の母性が、ヤハウェの厳格な父性に対して、後に表われるイエスの母性の影響下にあるからだろう。

＊二〇一七年八月三日～六日にかけて韓国で開催された第十六回東北アジアキリスト者文学会議への提議。

黄錦燦《ファングムチャン》の詩三篇

蠟燭の火

蠟燭の火!
芯に火をつけたなら
その時から終末に向かって
出発することだ

暗闇を押し出そうとする
その軟弱な抵抗
誰の精神に倣*った
もの静かな犠牲なのだろう

存在する時
すでに備わっている
時間の極限
それを知らずにいること
それが運命なのだ

定められた時間を
燃やしていったとしても
悲しむことなく
瞬間を花として享*有しながら
踊っている炎よ……

灯台守

灯台守は海の蘭

十尋《とひろ》の崖　霧の中に咲いている
石蘭《*せきらん》

夜になれば灯台の明かりを灯し
雨が降る昼
霧に覆われた時

長い汽笛を鳴らしながら
船たちの無事の
帰港を切に願う

波風の激しい日　岩に立って
流れていった難破船たちの思い出を
たどり返してみる
石蘭の葉に降りる露

十尋のやせ地に根をおろして

海風にさらされながら
ろくな日もなく
そのまま萎んでゆく
石蘭としよう

一年に一、二度
見知らぬ人たちが
訪れて来ては帰ってゆく
見え隠れする帆柱の端に
懐かしさは刃《やいば》

陸地の季節は
盗賊
最後の葉が散ってしまうと
海に雪が降る

岩の上の蠟燭の火がゆれるように

海の蘭は
雪の中に埋もれてゆく

きみとぼく

きみはぼくと同じく
初めは水滴だった
二人は互いの肌*にふれ合いながら
親しげに舞い落ちていた

ちょうどその時　山頂から吹いてくる
風のせいで
ぼくは山の南側に落ち
きみは北側に
無数の水滴たちと*同じ場にいながらも
きみを忘れたことはなかった

そうして　きみは北の海を
ぼくは森を通り過ぎ
花をかき分け
石の下から抜け出て
小川になり　川になって
東の海に辿り着いた

ぼくは東の海に住み
きみは北の海に
東の海と北の海は
二つの海ではない
考えを変えさえすれば
一つの海だ

ぼくはきみがいるから
対立する状態にはなれなくて

互いに仇《かたき》になることもありえない

ある日
きみとぼくは再び雲になる
天空で会って水滴になり
天の家族になる
ぼくらはその日を考えよう
その日を考えろ
きみは――

黄《ファン》 錦燦《グムチャン》の詩三篇を読む

蠟燭の火

蠟燭をテーマに書かれた詩は多い。それは、蠟燭が人間の生命の比喩として用い易いからである。黄錦燦詩人の詩「蠟燭の火」も例外ではない。人間に限らず生物全般、命が宿ると同時に死も宿すもの。つまり生命は生と死の種を内包して生まれるもので、生まれた以上は死に向かって行くしかない。しかし私たちは日頃、生とともに死もまた成長しているということから目を逸らしている者が多い。

そこで、よくラテン語の「メメント・モリ」（死を想え）という言葉が使われる。だが、この言葉は必ずやってくる死を想い、今、この瞬間を悔いなく生きよと理解すべき言葉なのだ。この世に生を享けた以上、いつ死が訪れるか分からない。先に生まれた者が先に死ぬとは限らない。生まれたばかりの嬰児が病に罹って祖父母や父母より先に死ぬこともある。昨今では医療ミスや交通事故、テロなどに巻き込まれることもある。韓国のセオル号の悲劇、フクシマの原子炉損壊による放射能漏れによる悲劇などもある。

よくよく考えてみれば、死が、いつ生を凌駕するかもしれない。さらに言えば、生きることは不治の病と言っても過言ではない。それを三連「存在する時／すでに備わっている／時間の極限／それを知らずにいること／それが運命なのだ」が、よく表わしている。しかし「蠟燭の火」は、さらなる死に対する想像力を要求する。

それは、先に述べた「メメント・モリ」（死を想え）の死が、単に自分自身の死を想うことではなく、十字架で磔刑に処されたイエスの死を想うことと変換されているからである。詩「蠟燭の火」の二連の「暗闇を押し出そうとする／その軟弱な抵抗／誰の精神に倣った／物静かな犠牲なのだろう」がそのことを想起させる。そしてこの言葉メメント・モリは、愛の人イエスに振りかかった不当な死を無駄にしないためにキリスト教徒の戒めの言葉となったのである。

そこで最終連「定められた時間を／燃やしていったとしても／瞬間を花として享有しながら／踊っている炎よ…」を読む。すると生命の火が点火された以上、弱い風にゆらぎ、強い風によって消される運命にある。だからこそ瞬間を花として受け入れ、瞬間を踊りながら燃えることが火の運命でもある。しかし、その瞬間を喜んで生きなければならないというメッセージが隠されている。分かり易いが大事なメッセージだからこそ、韓国国民に人気があるのだろう。

灯台守

この詩も「蠟燭の火」と同じく、「灯台」という誰にでも分かり易いテーマで書かれている。電気のなかった時代、石灯籠が灯台の役割をもっていたことを考えれば、やはり「火」がテーマと言っていいだろう。それは終連で灯台の灯りが「岩の上の蠟燭の火」と表現されていることで分かる。火は闇を照らし、人々や船舶を安全に導くのが役割のもの。寺院などに設置された灯籠は死者を導くためのものだが、灯台は船舶の航海の無事と、船乗りたちの安全な帰港に欠かせないものである。そのことさえ理解していれば詩「灯台守」の九〇パーセントは理解できるだろう。

だが、「灯台守は海の蘭／十尋の崖　霧の中に咲いている／石蘭」とあるように、灯台守と灯台が一体化し、それを石蘭と断言し、白い灯台と白い石蘭の花も一体化させる。それによって、まずキリスト教の重要な教義の一つである三位一体が示唆されていると思う。そう理解すれば「十尋の崖」の石蘭は十字架で磔刑に処されたイエスの比喩ということになるだろう。「十尋」という数値の「十」を漢字で考えれば容易に想像できる。だとすれば「灯台守は海の蘭」と表現された灯台守もイエスの似姿ということになる。そうなると灯台守は作者黄錦燦ではなく、愛の人イエスの精神の比喩と理解するのが妥当だろう。

このように理解すれば、灯台守の独白のように展開する詩をもって読者に伝えたい黄錦燦詩人のメッセージは何なのか。クリスチャンではない私には分からない。分からないが、幾多の苦難と苦悩を克服しながら、世界の底辺で生きる人々への愛を行動で示しイエスを象徴する白い灯台と石蘭によって、イエスの行動と愛の思想を思い起こして欲しいという願いこそがメッセージなのではないかと想像するが、如何だろうか。

そして最後に「岩の上に蠟燭の火がゆれるように／海の蘭は／雪の中に埋もれてゆく」と締めくくられる。それはイエスが不在であっても、白い海の蘭である白い灯台が雪の中に消えても、イエスの愛の思想が蠟燭の火のように人々の心の中でゆれつづけるようにとの願いに違いない。

きみとぼく

水の循環に寄せて書かれた「きみとぼく」をどう読むか。方円の器に従い、いかなる形にも姿を変え、また表面張力をもつ水。その水の生々流転のありように託して語られるものは何か。

詩の展開に沿って考えると、一連で「きみとぼくは同じく／初めは水滴だった／二人はお互いの肌にふれ合いながら／親しげに舞い落ちていた」とあり、二連以降、「きみとぼく」は山の南側と北側に落ちて別れ別れになる。その後、「ぼく」は東の海、「きみ」は北の海と離れて住むことになる。しかし「東の海と北の海は／二つの海ではない／考えを変えさえすれば／一つの海だ」と認識され、五連で「ぼくはきみがいるから／対立する状態になれなくて／互いに仇になることもありえない」と心中の思いを述べる。

そして最後に「きみとぼくは再び雲になる／天空で会って水滴になり／天の家族になる／ぼくらはその日を考えよう／その日を考えろ／きみは――」と終わる。

これは明らかに北と南に分断された朝鮮民族の状況を反映した詩であるが、そういう事態になった歴史や、今につづく深刻な家族離散の問題などには、いっさい触れない。触れなくても北と南に住む人たちには分かっている。その誰にでも分かっている苦難や悲しみを内面に抱えて生きてきた人々の心情を、海に注ぐ川に託し、やがてまた雲となり雨となっての再会を切望する。ここには統一を願って長い歳月を生きてきた朝鮮民族の悲願がこもっている。四季が反復し、水が反復するように悲哀も反復されてきたことだろう。そうした民族の思いを優しく平明な言葉で美しい「哀歌」に昇華させている。

この詩を読みながら思い出したことがある。それは、ソウルの中心を流れる漢江をさかのぼり太白山を源流とする南漢江と、北朝鮮の金剛山を源流とする北漢江が合流する両水里の岸辺に立ったときのことである。その光景を見ながら、北と南に別れた民族が川の流れのように合流して一つの河となることを祈った。また、両眼から流れる涙が鼻梁によって二つの流れをもつのに、顎を伝って涙の谷と呼ばれる胸部で一つになるように、分断された民族の涙も一つになれるようにとも祈った。

さて、黄錦燦詩人の詩「蠟燭の火」「灯台守」「きみとぼく」の三篇を読んできたが、いずれの詩にも黄錦燦詩人の詩精神の優しさと強靭さが控えていることを知った。そして、その優しさと強靭さが、外でもない愛の言葉として顕現していることに敬意を表したい。

＊二〇一九年八月一日～四日にかけて「恵シャレー軽井沢」で開催された第十七回東北アジアキリスト者文学会議への提議。

「とりなしの祈り」としての詩

柴崎聰詩集『涙半分』を読む

蛇

太い篠竹の尖端に五寸釘を埋《うず》め、麻紐でしっかりと縛る。釘の鋭利をさらに砥石で研ぐ。右手に即製の槍を構え、君は、程よい重さに手ごたえを覚えて、すみれ咲く山路《やまじ》を行く。

笹藪が一筋にくねり、濡れた声をあげる。風のそよぎとは違う。君は、閃きを前衛に押し出して身構える。ヤマカガシだ。君のどこかに義憤に似た審判の思いが湧く。恐れと無気味さ、それらをねじふせるだけの準備はしてきた。

虻とも蜂とも知れぬ羽音が耳元で高鳴っていたが、蛇のたてる滑らかな足音を追った。熊笹が途絶える赤茶けた裸地に蛇は逃げた。

それが間違いだった。君の判断は素早く、右腕を後方に引いて槍を解き放った。首の付け根のまだら模様に命中した。蛇は地面に釘付けられた。頭の自由がきかなかったから、長い胴体と尻尾を断末魔の叫びも一切あげずにのたうたせた。君は恐る恐る鼠花火のような危険を治めようとした。
篠竹の先に手負いの蛇。凱旋したい気分がないわけではなかった。それでもどこかに後ろめたい気持ちもあった。その時だ、君の脳裡にかすかな疑問符が湧いたのは。
それから十数年、君は、旧約聖書に、呪いの言葉が赤裸々に記されていることを知った。半分は得心しても、あとの半分は罪の荒れ野をさまよい続けた。脱皮のときは既に過ぎていた。

——お前は最も呪われる。*

*創世記三章一四節

さて、「創世記」において、神が土の塵からアダムを造る話は有名だが、アダムとはヘブライ語で「土」と「人間」という二つの意味をもつという。つまり、アダムという語そのものがこの説話を象徴しているのである。そして、このアダムの妻イヴが蛇の入れ知恵によって、食べてはいけないとされた善悪を知る木の実を食べることになり、蛇は最も呪われるものとなったのである。

ところで、この詩では少年時代に手製の槍を作ってヤマカガシを殺し、「凱旋したい気分」と「後ろめたい気持ち」の二つの思いに心が引き裂かれる。殺意を抱いて蛇狩りにいったにも関わらず、である。更にその上に、「かすかな疑問符が湧いた」というのはどういうことか。蛇には、なぜか人の心をゾクリとさせる不思議な生き物である。不意に出会ったとき思わず殺意をもよおすのは、存在を脅かすものを潜めているからだろう。

もし、これがヤマカガシではなくウナギだったらどうだろうか。私の経験から言えば、少年時代、同じように五寸釘を竹の先にくくりつけただけの銛でウナギを仕留めると、それこそ、「凱旋したい気分」ではなく、実際、凱旋気分で行きすぎる人たちに見せびらかしながら歩いたものだ。帰宅すれば父母から褒められもした。戦後の貧しい時代だったせいでもないだろう。つまり、一般にウナギは食料として認知されているが、蛇は食料として認知されていないということに「後ろめたさ」が発しているのだ。

そして、最後の段落で旧約聖書に「のろいの言葉が記されていることを知った」のち、「半分は得心しても、あとの半分は罪の荒れ野をさまよい続けた。脱皮の時はすでに過ぎていた」と展開し、最後に「――お前は最も呪われる」という「創世記」第三章一四節の一行が記される。私はここに、柴崎の言う「二律背反」の意識が反映されていると思うのである。

では、その「二律背反」の意識とは何か。それは聖書に出会って、柴崎の深層で自分自身の半分は呪われた蛇であり、もう半分は蛇を殺したおぞましい人間であるという矛盾した思いが同居しはじめたということだ。

この詩の構造としては幼年期の経験が初めにあって、十数年後に聖書に出会ったことになっているが、これは、おそらく経験の順序が逆だ。柴崎は「創世記」で呪いをかけられた蛇との出会いによって、意識下に眠っていた幼年期の経験がよみがえり、「後ろめたさ」「かすかな疑問符」に改めて向き合うことになったはずだ。特に、この「蛇」の最後の段落を丹念に読むと、作者柴崎の認識は、あきらかに自らが殺した蛇と同化している。「君」と二人称で語られる「僕」は、同一人物に潜在する他者性であろう。

ある時期、「ツチノコ」という幻の蛇が話題になったことがある。それが真実であるか嘘であるかの詮索はさておき、柴崎の中には聖書に出会ったことで、アダムも蛇も「土の子」であり、同類だという認識が生まれたのではないかと思う。だからこそ、「半分は得心しても、あとの半分は罪の荒れ野をさまよい続けた」のであり、「脱皮の時はすでに過ぎていた」という嘆きが呟かれるのである。そういうふうに読んでみると、「――お前は最も呪われる」という一行が、実はヤマカガシに向けられたものではなく、自分自身に、自分自身の内なる蛇的な存在に向けて発せられていることに気づかされるのである。ちなみに広辞苑で「二律背反」を引くと、「相互に矛盾し対立する二つの命題が、同じ権利をもって主張されること」とある。

柴崎は「あとがき」で、「二律背反」への趣向の増大を書き記しているが、これは柴崎の詩のみならず、詩を詩として成立させるには避けて通れないものだ。「相互に矛盾し対立する二つの命題」から一つの解を引き出すこと。その解こそが詩である。真実であるか嘘であるかが問題ではなく、信じられるか信じられないかが問題である。もともと詩は虚構の上に成り立っているのだ。「蛇」の一篇が詩として成立したのは、他ならぬ、この矛盾と虚構性によってであることは言うまでもない。

望郷のバラード*

無伴奏などと言わないでください
つい先ほどまでピアノが伴奏していたではありませんか
あれは幻想だったのですか
望郷の思いが親しく連れ立っていたではありませんか
教師を喪った二人の弟子に割ってはいり
何者かがエマオ村まで付き添っていたではありませんか

無伴奏などと言わないでください
やっと独り立ちして黄昏《たそがれ》に向かおうとしているのに

弦から奏でられる物語は確《しか》とは言葉を結びません
揺すられ振るわされて亡命の祖国は間近です

無伴奏などと言わないでください
薄幸のその人の遺志は宙に消えたのですか

それはヴァイオリンの哀愁に消されたのですか
脇役だといって控えめにしているのですか

弓使いや指使いは言うまでもなく　息遣いはどうしたのですか
情感を超えた木と人の共鳴が同行していませんか

無伴奏などと言わないでください

物語の栄枯盛衰に連れ立たないバラードはありません
演奏のたびごとにいくつもの物語が復活して
香り立つ悲しみに付き添われていくのです

＊チプリアン・ポルムベスク作曲〈望郷のバラード〉（ヴァイオリン・天満敦子）

この詩のタイトルとなった「望郷のバラード」を作曲したポルムベスクはブルックナーに師事し、将来を嘱望されたルーマニアの作曲家で、独立運動に参加して投獄され二十九歳の若さでこの世を去っている。そのポルムベスクが獄中から、故郷と故郷に暮らす、愛する人のことを想い作曲したのが「望郷のバラード」ということである。

この曲が天満敦子によって演奏されるまでには紆余曲折のドラマが控えている。天満敦子は一九九二年に文化使節としてルーマニアを訪問、ルーマニアの文化大臣からダヴィッド・オイストラフに並ぶヴァイオリニストとして絶賛された。この縁がもとで翌一九九三年にルーマニア出身の薄幸の作曲家チプリアン・ポルムベスクの遺作「望郷のバラード」の楽譜を託されることになったということである。以後、この曲は天満敦子の代表曲として知られるようになったらしい。

いずれにしても、柴崎はポルムベスクの悲劇を内包した「望郷のバラード」を天満敦子の演奏で聴き、ポルムベスクの境涯にイエスを連想した。それは、「教師を喪った二人の弟子に割ってはいり／

何者かがエマオ村まで付き添っていたではありませんか」という二行によって示される。そして、死後も弟子に寄り添いながら同行するイエス同様、無伴奏といえども「望郷のバラード」には悲劇に遭って死んだポルムベスクが同行しているではないかと訴えているのである。その証拠に、「無伴奏などと言わないでください」というフレーズが三度も繰り返される。

「望郷のバラード」が演奏されるたびにポルムベスクがよみがえることに救いを感じているのである。それが、「演奏のたびごとにいくつもの物語が復活して／香り立つ悲しみに付き添われていくのです」という最終二行に如実に示されている。

また、それだけにとどまらず、オーケストラを従えての演奏でなく、無伴奏で演奏したヴァイオリニスト天満敦子へも訴えているように見受けられる。

さらに、この詩「望郷のバラード」が指し示している故郷は、単なる故郷を超えて天国の存在を明かそうとしているようだ。五連にある「亡命の祖国は間近です」というフレーズは明らかに「天国」を、故郷を超えた祖国として措定している。こうしたところに柴崎の揺るぎない信仰が読み取れる。

さて、ここまでの二篇の詩で柴崎の信仰と詩を語ることは危険だが、敢えて言うなら、「蛇」に現われる原罪意識と、「望郷のバラード」に現われる同行者イエスの存在に対する信頼は、二つながら柴崎がキリスト者詩人として拠って立つべき詩と信仰の抜きがたい基盤であろう。

しかし、柴崎はキリスト者であることと詩人であることに二律背反を感じたことはないのだろうか。信仰と詩を、何をもって連結しようとしているのか。

詩については、『詩の喜び　詩の悲しみ』(二〇〇四年　新教出版社刊)に「言葉によって生きる」と題した次のような叙述がある

言葉を大切にする人は、自分の生涯を誠実に生きることになる、と私は信じている。先人が種を蒔き育み鍛えてきた言葉によって、私は物事の確信や真実に迫ろうとしてきただけなのである。その手立てが、詩作という行為であったにすぎない。

「詩を書く」ということと「生きる」ということとは、私にとっては同義である。生き生きと生きたいがために、あるいは、せっかく与えられた人生を深めたいがために、詩という手立てを用いてきたからである。

詩は虚構であるが、振り返ってみると私の詩作は、見事に実人生の起き伏しを反映している。その時その場に臨んできたメッセージを、丁寧に言葉に写し取る以外に、私にすることはない。それが詩に対する私の唯一の「志」である。

ここで、詩を書くことについては生きることと同義であると述べているが、信仰については語られていない。だが、もし信仰することも生きることと同義であるなら、その信仰もまた虚構である。しかし虚構であっても、その虚構を突き抜けたところに、「生」と「死」と「信仰」の融合によって美しいトライアングルを創出しつづける柴崎の倫理的な「志」とは何か。

黙読

黙読で声が嗄《か》れることはないが
声帯が弛緩して緊張が解け
透き通った風が喉元を過ぎていきます

声なき声がどこかで音量をあげ
響きのない黙読はむなしいではないか
としきりに伝えてきます

黙読の果てに降りしきるのは
清濁のない時雨であり
意味と物語と修辞がぬれそぼちます

黙読をするためには
文字の内なる呻きを知らなければならないが

墓前でのように死者の名前を呼ぶ必要はありません
「主の祈り」を大声で何度か唱えて
声の濁りを濾過して整えようとすると
意味の姿が「声明《しょうみょう》」の中に飲み込まれます
黙読で切り結ぶ本との真剣勝負を
気合いで喉元に押しとどめると　言葉は鳥のように
文字から巣立ってとりなしの祈りへと飛翔します

ここで黙読されている本は、もちろん聖書である。先ず、小さな祭壇に置かれた十字架の前で静かに聖書を開き、呼吸を整えている姿が目に浮かぶ。この段階で聖書のどの部分を黙読しているかは定かではない。しかし、次第に雑念が消えて心が澄んでいき、無心になって聖句に心をゆだねているうち、いつしか「主の祈り」を声に出して唱えている。すると、「主の祈り」の意味さえ「声明の中に飲み込まれます」というのである。

「主の祈り」はマタイによる福音書の六章九節から十三節「天にいますわれらの父よ、御国があがめられますように、御国がきますように。みこころが天に行われるとおり、地にも行われますように」

と始まる有名な祈りである。ルカによる福音書にもあるが、いずれかであろう。

そこでなお「主の祈り」のうちに飲み込まれてしまっては、聖書との真剣勝負が出来なくなるというのである。マタイの福音書では「主の祈り」の前段で、あるべき祈りの姿が説かれ注意されていることを考え合わせてみると、作者柴崎は真の祈りの原点に立ち還ったのだろう。そこでなされる祈りこそが「文字から巣立ってとりなしの祈りへと飛翔」するのである。そして、ここに現われる「とりなしの祈り」こそ柴崎の詩と信仰に対する「志」である。

ドウダンツツジ　落葉

紅葉《こうよう》の盛りを謳歌してから
からりと染まった葉むらを振り払い
素裸の潔さに身をゆだねると
樹下には萎えた葉がすでに散り敷いている

それだけで枯野の荒《すさ》び
それだけで決済の覚悟が分かる
貸借は年ごとにやってくるの　に

葉数《はかず》の収支は釣り合っているのか

周囲には風も吹かず
雨も降らず
まして雷鳴も轟《とどろ》かず

粉飾という汚名をすべて返上して
身ひとつで寒気のただ中に立ち尽くすと
厳冬に向かっておのずと疼く羞恥がある

さて、この「ドウダンツツジ」には、一九四三年生まれの柴崎が七十歳を目前にして人生の決算期を迎えたという感慨が素直に表明されている。

春には密生した葉先から零れる光の雫のような花をつける。その花はことごとく地に向かってうなだれているようだ。花が落ちると次第に葉群が濃くなっていき、秋になると葉という葉が炎のように紅葉し、野火のように立ち上がったと思うと、やがて火の粉のように散って茎と枝だけになる。

柴崎は、このドウダンツツジに自分自身のありようを重ねて、兆しはじめた老いの感慨と決意を、ソネット形式をもって表明しているのだ。

そして最終連で、「粉飾という汚名をすべて返上して／身ひとつで寒気《かんき》のただ中に立ち尽くすと／厳冬に向かっておのずと疼く羞恥がある」と締めくくる。

ドウダンツツジは低木である。例えば銀杏のような大木でなくドウダンツツジに志を仮託しているところに柴崎の謙虚な祈りが読み取れるというものだ。今後、柴崎の詩は、どのような「とりなしの祈り」を紡いでいくのだろうか。

願わくは、その「とりなしの祈り」が神にとどき、ひるがえって柴崎に重くのしかかってきた生の負荷が取り除かれんことを祈るばかりだ。

「詩と思想」十一月号（二〇一一年十一月一日発行）掲載

詩作と信仰の世界

中村不二夫詩集『コラール』を読む

コラールとは広辞苑によると、ドイツプロテスタントの讃美歌とあり、普通はコーラスとして歌われるものであり、衆讃歌とも言われていることがわかる。つまり、主、イエス・キリストを讃美する歌である。

それはそれとして、詩集『コラール』を読み終えて、まず思うことは中村不二夫という詩人が、身近に起こった、愛する者の死の向こうにイエス・キリストの死を重ねて見ているということである。

もちろん、敬虔なクリスチャンである中村が、いついかなるときもイエス・キリストの同伴者としての自覚を持っていることを思えば驚くことではない。

しかし、イエスの死を思うことと同じ程度に、イエスの愛を念頭において詩作に就いているということにクリスチャンでない私は驚く。

かつて限りなくキリスト教に接近しながら、ついに洗礼を受ける勇気を持てなかった私としては、洗礼という儀式を通してキリスト教の信者になり得なかった一線とは何かを考えてしまう。

詩集中に「サムエル」と題する一篇があるが、これを読むと中村の亡父もサムエルという洗礼名を持つクリスチャンであったことが判るので、中村は誕生とともに洗礼を受けているのであろう。つまり、自らの意思に拠らず行われる幼児洗礼によってキリスト者として生きることを宿命づけられたということである。

こうした例は、作家の遠藤周作をはじめとしていくらでもある。そして、それら幼児洗礼を受けた人々の多くは、物心ついてから、父母によって与えられた信仰者としての生き方に疑問をもち、苦しんだ経験を持っている。そんな経験が中村にもあったと推測するのは、あながち間違いではないだろうと思う。

もし、そうでなかったとしたら中村が後天的に信仰に目覚めたことになり、その経緯は如何なるものであったかという問いが生まれてくる。

だが、いずれにしても詩人としての中村にとって詩と信仰のはざまで苦しんだことがないということは考えられない。詩と信仰の両立は、それほど簡単なことではないからである。

と言うのも、私自身が洗礼を意識したとき、すでに開始していた詩作と信仰のはざまで苦しみ、両立できる自信が持てずに詩作だけを選んだからである。

私の場合、大工ヨゼフの息子であるイエス、つまり人の子イエスは信じられたが、メシアとしてのキリストに、どうしてもリアリティを持ち得なかったということである。

聖書をはじめ、聖書に関する書物をあさり、神学の本まで読んで、なおキリストを信じることができなかったのである。そして、そういう自分自身を納得させるためにイエスはキリスト教の信者ではなくユダヤ教の信者であり預言者であって、メシアではないという一点に拠って洗礼を受けなかった。キリストとは、死後、その弟子たちの拠って立つべきメシアとして神格を与えられたイエスの別名であり、汎神論的風土に育った私には縁遠く感じられた。

しかし私は自らをイエスチャンと名づけ、人間イエスを自らの規範として密かに信じている。それでも、その上に、ミューズを置いて詩作に専念してきたというのが本音である。

とまれ、私自身のことを語りすぎた。ここは中村の信仰と詩にもどろう。

中村は近代詩の薄明期に大きな足跡を残したキリスト教詩人・山村暮鳥の研究者である。

山村暮鳥は近代詩の先駆者と言われる萩原朔太郎の詩集『月に吠える』(一九一七・大正六)が出る二年前、『聖三稜玻璃』(一九一五・大正四)という象徴主義の影響を受けながら斬新な詩法の詩集を出している。それは近代詩史の上で画期的なもので、詩壇に賛否両論を巻き起こした。

彼は、萩原朔太郎と同じ群馬県の出身でクリスチャンであった。

文学か宗教かで迷いつづけた青年時代を送った彼は、洗礼を受け、日本聖公会の伝道師となって東北各地を転任。

一九一三年(大正三)六月には萩原朔太郎、室生犀星らと「詩と宗教と音楽の研究」を目的とした人魚詩社を結成、十二月に『聖三稜玻璃』を出すのである。

それにしても『聖三稜玻璃』に収められた「未来へ」という意味をもつ詩「A FUTUR」の、何という沈鬱なことか。ここには、心裡にうごめく、おぞましいまでの理性と性の葛藤がある。それは一方でクリスチャンとしての自分と、信仰以前の一人の人間としての葛藤であり、アガペーとエロースのあいだで揺れる詩人の葛藤でもあるだろう。

この山村暮鳥の葛藤は萩原朔太郎と似たところがあり、朔太郎に与えた影響も大きかったと思われる。その後、彼はドストエフスキーに傾倒して翻訳などを試みるが、結核に倒れ病の床に伏すことになる。そして、一九一七（大正七）年に出した詩集『風は木にささやいた』では平明で自由な人道主義的作風に変わっていった。しかし、文学と宗教、それに加えて病から来る苦悩からの解放を願いつづけた四十年の短い生涯であった。

こうした山村暮鳥の葛藤は、また中村の葛藤でもあっただろうと思う。

私が中村の詩集を初めて読んだのは『Mets』（一九九〇）であった。その後、『People』（一九九五）、『使徒』（二〇〇一）と読んできて、今回、地球賞を受賞することになった『コラール』（二〇〇七）である。いま、これらの詩集を詳細に振り返る余裕はないが、近年に至るにしたがってクリスチャンとしての信仰が深まっているように思われる。

歩くたび　ぼくの肩は傷つき　水に沈んだ
この重さはいったいどこからきているのか
ぼくは何度も水を飲み　繰り返し吐いた

それでも前に進んで　夜明けを待った
それから何時間経ったのだろうか
すでにぼくは川の縁に辿り着こうとしていた
何を運んで　ぼくは川を渡ってきたのか
もう一度　その人の手に触れたとき
ただ地を継ぐ者だとだけ言い残して去った
その人の姿を見たのはそれが最後だった
その人は　ぼくのためにそこにきたのだと
ぼくのことを強く願い　そして選んだのだと
やがて風は止み　ぼくは大きな祝福の中にいた
ふたたび　ぼくはその川を戻ることはなかった

心を尽くして　君に頼らば
終わりの勝ちこそ　わが手にあらめ
その声が世界の果てにまで届くようにと
すべての美しい日々を覚えて　歌った

「祝福」より

目の前には死者のための祭壇　十字架
それぞれの箸が　父の骨を拾った
やがて雨が地を浸すように
父は約束された場所に帰っていった

水の上　透き通った鳥が翼を休めている
その人のために　風が通る道を作ってあげたい
七夕の夜　屋形船の上に笹の葉が揺れて
みんなの願い事が　星空の彼方に消えていった
その人は　ベッドから起き上がり川面を見ている
いつ終わるとも知れない痛みと嘔吐との闘い
深夜の病室の壁には影だけが付き添う
その指は何も数えない　何も動かさない
そこにはきっと待つ国があることを信じ
ただそこに生きていれば　変わらずいれば
いつかその手に未来を持つことができるのだと

「サムエル」より

その人は　自らの胸に手を当て　眠りに入る

その人の胸の痛みを取り呼吸を楽にした手があった
その人の背中をさすり続け　額の汗を拭った手があった
蜜柑の皮の袋を一つ一つ剝いてくれる手があった

（中略）

その人の願いを聞き入れ　腹式呼吸を教えた手があった
熱帯魚の水槽を見に行くため　車椅子を押す手があった
その人は休む間もなく　愛する人に手紙を書き続けた
毎日　その人のためにポストへ手紙を届ける手があった
（どんなことにも全力投球の人生だったね）
そんなことの繰り返しが　何より嬉しかった日
いつもそこにあった　やさしい手のことを思う

その数分前　最期のやさしい手が招き入れられた
その人は主の祈りの後　じっと目を閉じたまま

「復活」より

やさしい手の人の拳を何倍もの力で握り返した

「やさしい手――妻の母に――」より

これらの詩を読むと中村の信仰は、もはや揺るぎのないものとなっていると言える。肉親の死や義母の死に直面しながら、その死が苦痛のゆえに祝福され、救われ、天国において復活し、永遠の生を生きるという確信がある。この確信のゆえに信仰は美しく、ますます敬虔なものとなってゆく。父母が信じ、中村が信じるキリストへのゆるぎない信仰がここにある。

中村の中で、キリストの愛と死が一如のものとなり、さらに詩が加わって三位一体となっているのに違いない。信仰に生き、詩に生きることの矛盾がなくなっている。

その秘密を解く鍵が〈愛＝アガペー〉であろう。中村の詩もまた、その〈愛＝アガペー〉から生み出されている。

しかし、と私はどうしても思ってしまう。

かつての詩集『Mets』に収録されている「西暦」という一篇を見てみよう。

西暦

昨夜ぼくの首を真綿でしめていたものの

正体はまだ見えてはこないが……
そう言い切るとぼくは街に出た
外苑の銀杏はすっかり実を落とし
東京の世紀末は至るところいよいよ
暴力が似合う街になってきた
色づいているのは木の葉ではない
人間の肉体が錆色にしずんでいくのだ
兵士になんてだれ一人なれはしない
　こんな日の風景を余すことなく書きしるす
言葉の職人なんてどこにもいない
けれどぼくは何の手立てもなく
街がこわれていくのを見ている
希望について語るのはもうやめよう
あるき疲れてミルクティーを飲む
やがて雪が振るかもしれないという他は
記すほどのことは何もない

鳥は上下運動をくりかえす
まだ空の深さを信じているのか
だれもがふるえるばかりの西暦に
溢れるほどの思いを内に低く殺し
祈りつづけていくことしかない
思い切りこわれていく街の前で
人間の肉体なんてもろいものだ
骨になればとるに足りない風塵さ
狂ってしまうほうがいいのかもしれない
ぼくは感情の酸をたっぷり吐き出し
草の布団にもぐり込んでしまう

私は、この詩の中にある「希望について語るのはもうやめよう」という一行に捉われる。中村に何が起こったのだろうか。また、次の詩句を見てみよう。

ぼくはすべてを投げ捨てる決意をした
それは長い戦いの終わりでもあった

未来のことだけを考えてぼくは生きた
そのことを決して忘れることはないだろう
庭の樫の木が二つに裂けた
まもなく春がくるのかもしれない

「春雷」より

詩集『Mets』が出版されたのが一九九〇年。中村の生年は一九五〇年だから四十歳のときの詩集である。収録された作品が詩集『ダッグ・アウト』(一九八四)以後に書かれたものであるならば、六年のあいだに中村にとって、それまでの生き方を変える何らかの変化が起こったこと示しているだろう。

一体、中村に何が起こったのか? それはわからない。わからないが、中村がそれまで信じてきた何かが壊れたから、「すべてを投げ捨てる決意をした」のであろう。そして、「それは長い戦いの終りでもあった」と言うからには、それまで彼が闘ってきたものであり、「昨夜ぼくの首を真綿でしめていたものの/正体はまだ見えてはこないが……」と書きつけたものであろう。

私には、その実態が何かということは判らない。しかし、この詩句を見るかぎり中村を失望させる何かがあったからこそ、「希望について語るのはもうやめよう」と思い、「すべてを投げ捨てる決意をした」のである。

このような失望ののち、中村がクリスチャンとしての信仰を急速に深めたとするならば、それは中村にとって途轍もなく大きな失望であったはずだ。だからこそ、悲哀や苦悩に満ちた現実の上に構築されてきた、もうひとつの救いの世界、すなわち信仰に生きようと決意したのではなかったか。

そうであるならば、「すべてを投げ捨てる決意をした」のちに、キリスト教の信仰的世界のすべてを受け入れる決意をした理由は何か。おそらく中村にとってぎりぎりの選択だったであろう決意の在り処に興味がある。その一点が不明のまま中村の詩集『コラール』の意味を本当に解かったことにはならないだろう。

そこで、先に述べた山村暮鳥の文学と宗教の葛藤が、とりもなおさず中村の詩と信仰の葛藤として重なってくるのである。

しかし、文学の世界も宗教の世界も結局は虚構の世界である。そんなことは中村ほどの詩人ならば百も承知のことだ。だが、その虚構を超えてある真実の世界は、これはもう心が納得するかどうかの世界である。文学のリアリティも宗教のリアリティも、いずれも心が納得するかどうかの世界であるから、嘘か真かということが問題ではなく、信じられるか信じられないかが問題の世界である。そう思えば、案外、文学と宗教の本質は同じかもしれない。

ところで、ヨハネ伝福音書の冒頭に「太初《はじめ》に言《ことば》あり、言《ことば》は神と偕《とも》にあり、言《ことば》は神なりき。この言《ことば》は太初《はじめ》に神とともに在り、萬《よろづ》の物これに由りて成り、成りたる物に一つとして之によらで成りたるはなし。之に生命《いのち》あり、この生命《いのち》は人の光なりき。光は暗黒《くらき》に照る、暗黒《くらき》は之を悟らざりき。神より遣《つかは》されたる人いでたり、その名をヨハネといふ。この人は證《あかし》のために來《きた》れり、光に就きて證《あかし》をなし、また凡ての人の彼によりて信ぜん為なり、彼は光にあらず、光に就きて證《あかし》せん為に來《きた》れるなり」（一九八〇年　日本聖書協会発行『旧新約聖書』）とある。

この第一章第一節から第八節は、世界と言葉の関係を、まことに正しく示しており、さらに真の創造のプロセスを示している。そして、「言」とはロゴスのことであることを考えると、詩を書く行為は、「太初に言ありき」のロゴスに向かうことである。つまり、詩にとって言葉とは認識の手段ではなく、それ自体が創造の本来の目的である。なぜなら、世界とその存在のありようは、主語と述語の関係でしかあり得ないからである。

これを援用すれば、ヨハネの仕事も詩人の仕事も相似的であると言える。

中村の仕事を俯瞰すると、詩作のみならず、その誠実で広範な批評活動をふくめて言えることは、預言者イザヤがヨハネを指して言ったように「荒野で呼ばわる者の声」である。

中村が、詩作と信仰を両立させ得る一点が、ここに在る。

ともあれ、私は中村の詩の宗教性にこだわりすぎたようである。しかし、この詩集が『コラール』と名づけられている以上、ここに収録された詩のすべてを讃美歌として読み取ろうとした結果、こういう展開になってしまった。あるいは、中村の詩の多様で豊かな世界を限定的にしてしまったかもしれない。

二〇一三年十二月二十日記

恨《ハン》から愛《サラン》へ
崔華國の詩精神

まず初めに、詩集『驢馬の鼻歌』（一九八〇　詩学社）に収められた詩、「娘に」を読んでみよう。

娘に

私がここに座っているのは
あなたのピアノをきくためで
練習が出来なかったあなたの
理由をきくためではないのです

なあんて《マ》って《マ》小さいおまえがよう
ヒゲを蓄えた六尺豊かな

キリストさまのようなアメリカの
大学生をしごいている図ったら
ありゃしない
父にとってはいつまでも小娘のおまえ

キャンパスを歩きながら
父《アブジー》さんあれがポプラだったの
これが無窮花《ムグンファ》なの
娘よおまえはそれを知らなくてよい
恨《ハン》につながる想いは
父さんの代でチョンにしよう

東京での大学の頃
お正月には和服《きもの》が着たい
だって美しいんだものと駄々をこねて
父と母を面喰らわしたおまえ
おまえの目がそりゃ正しい

アメリカくんだりまで種を送り
おまえの家の庭に今
たおやかに咲いている鳳仙花《ポンソンファ》の
花にまつわる悲歌
それらは父の代で訣別しよう

恨と怨の字面の暗さ
それを美しいおまえに遺産に出来ようか
それはしない　それはしない

——一九七八年七月　グリンスボロにて

＊無窮花——木槿、韓国の国花。鳳仙花——庶民に親しまれ幾多の哀歌がうたわれている。

この詩の三連で「恨《ハン》につながる想いは／父さんの代でチョンにしよう」、そして五連、「花にまつわる悲歌／それらは父の代で訣別しよう」と述べ、最終連で「恨と怨の字面の暗さ／それを美しいおまえに遺産に出来ようか／それはしない　それはしない」と、自らに言い聞かせるように、詩が閉じられる。

一見、軽い調子で娘に語りかけるよう、あるいは自分自身に言い聞かせるように展開する詩である。しかし、この作品の背景には朝鮮と日本の、なかなか折り合いのつけがたい歴史と、その受難の、歴史の渦中を生きた詩人・崔華國の悲痛な叫びと祈りが隠されている。

だからこそ、「恨と怨の字面の暗さ／それを美しいおまえに遺産に出来ようか／それはしない　それはしない」という最終連の三行が胸を打つのである。

「父さんの代でチョンにしょう」、「父の代で訣別しよう」と言い、「美しいおまえに遺産に出来ようか」と言い、「それはしない　それはしない」と繰り返す胸の内は、決して単純ではない。この、単純ではない思いの根を探ってみよう。

それは、一九一五（大正四）年八月二十六日生まれの崔華國の青春期、つまり崔華國の精神的背景を語ることになるはずである。

日本が明治維新以来、西洋列強に倣って近代化とともに富国強兵を推し進め、朝鮮において勢力拡大を意図した結果、朝鮮の宗主国であった清国との衝突を招いた。

それが一八九四（明治二七）年に始まった日清戦争で、その帝国主義的戦争の緒戦に勝ったことで、日本は欧米との不平等条約改正の第一歩である日英通商航海条約の調印に成功。結果、欧米帝国主義の仲間入りをすることで、当時の国際社会における欧米と同等の権利を獲得していった。

簡略的に言えば、こうして朝鮮（当時は大韓民国）を踏み台にした日本の近代化という構図が出来上がるのである。

ここで、崔華國が詩集『猫談義』（一九八四　花神社）によって第三十五回H氏賞受賞際して、インタビューに応じて、自らの生い立ちを次のように簡略に語っている。

私は一九一五年（大正四年）慶州で生まれ、十七歳で日本に来ました。日本の中学に入学したのですが、当時、反帝同盟に参加していたため、何度も逮捕され、学校を負われ、三四年いったん帰国し、大邱で「朝鮮民報」の記者を三年やりました。再び日本に来て、日本新聞学院に入り、卒業後、海運貿易新聞の記者を経て、四二年日本海事新聞の創刊委員として横浜支局長をしていました。終戦後、休職のまま、いったん帰国し、再び朝鮮民報の記者をしていたのですが、朝鮮動乱が起り、五一年八月GHQ第八軍の要請で、CIE（全米民間教育情報局）のエディターとして東京に招かれ、英語の文化情報を韓国語に翻訳して紹介する仕事をしたわけです。五三年、対日講和が成立したので帰らなくてはならなかったのですが、友人たちが連署で日本政府に働きかけてくれて、外国人在留許可第一号となったわけです。

一九〇四年に第一次世界大戦がはじまり、その翌年に生まれた崔華國が翻弄された、この時期の世界情勢を、もう少し年代的に記してみよう。

朝鮮における抗日三・一独立運動（一九一九）関東大震災（一九二三）日本プロレタリア文芸運動

連盟（のち芸術連盟に改組（一九二五）「詩と詩論」「戦旗」創刊。日本共産党検挙（一九二八）プロレタリア詩人会結成（一九三〇）満州事変勃発。日本の傀儡国家、満洲国成立。プロレタリア詩人会解散（一九三一）上海事変勃発。ドイツでヒットラー内閣が組織される。（一九三二）日本国際連盟脱退。西脇順三郎詩集『あんばるわりあ』、詩誌「四季」（堀辰雄）創刊（一九三三）日中戦争勃発（一九三七）大政翼賛会成立（一九四〇）太平洋戦争勃発（一九四二）広島・長崎に原爆投下。日本の敗戦（一九四五）朝鮮動乱（一九五〇）

こうしてみれば崔華國の青春期がどんなものだったか、この年次的な説明で概略想像できるだろう。ただ、一九三〇年から一九三一年にかけて存在したプロレタリア詩人会では中野重治、伊藤信吉のほか、朝鮮出身の白鐵や金龍済などが活躍したが、崔華國が、これらの詩人たちと交流があったかどうか、自筆年譜から知ることはできない。

それはまあ措くとして、崔華國は、詩集『猫談義』で第三十五回H氏賞を受けたとき、「私も在日一世の立場の人生を歩んできた。人並みの苦難も辛酸も嘗めてきただけに、かつてはあらゆる日本の文化や伝統に対して拒否反応、拒絶反応を示した。詩にとり組み、詩を極める過程において、私の視野も考え方も、広く大きく成長したといえる。私にとって詩とは祈りであり、愛である。愛と祈りの前では、韓国も日本も小さく、小さい。過去の感情のしがらみから抜け出して、お互いが理解し合うこと以外に何があろうか。次の聖句を嚙みしめたい。／コリント人への手紙……／愛は寛容であり、愛は情深い。／愛はねたまず、たかぶらない。」と、受賞の言葉を結んでいる。

これは、コリント人への手紙第十三章の言葉だが、この言葉を含む一節は次のようなものである。

「愛は忍耐強い。愛は情け深い。ねたまない。愛は自慢せず、高ぶらない。礼を失せず、自分の利益を求めず、いらだたず、恨みを抱かない。不義を喜ばず、真実を喜ぶ。すべてを忍び、すべてを信じ、すべてを望み、すべてに耐える。」

この言葉こそ崔華國の詩精神の核であり、すべての詩の核であろう。しかし崔華國が、この簡潔だが、途轍もなく奥深い詩の根源的定義に辿り着くまでの前半生のほとんどは新聞社に籍を置き、社会批判の筆を揮った敏腕の記者だったのである。

しかし、崔華國の詩業を見渡すと自らが生きた世界への恨み言は見当たらない。ただ、人間の尊厳を犯す者への激越な怒りが散見されるが、彼が述べているように、「詩にとり組み、詩を窮める過程において、私の視野も考え方も、広く大きく成長した」のである。つまり、崔華國にとって詩を書くことは恨《ハン》を愛《サラン》に、怒りを祈りに変換することだったと言っていいだろう。

ここで、もう一篇の詩を読んでみよう。

祖国

未来は涙なしに語れる

祖国を造りたいものですよ
子供達のためにも……

朝なにを思ってか　妻が台所から涙声で
朴念仁の私に　そう呼びかけた
朴念仁の私も柄になく涙声で

そうだ　そうだ　それはそうだ
それはそうだとも　そうだとも

喉がつまらずに
胸に熱いのがこみあがらずに
語られた祖国など持った例《ためし》がない

しかし待てよ　これは或いは
さりげない神の恩寵ではないだろうか
こよなき神の祝福ではないだろうか

思っても見よ　悲しみを知らない
涙のない人間どもに
祖国とはどれほどの価値だろうか

妻よ　悲しいけれども
どうやら　それはちがうようだ
それはやはり　今朝の汝《なれ》と我《われ》のように
涙で語れる祖国がよさそうだやはり
子供達のためにも……

崔華國が、たびたび詩の中で「うれしきひとよ」と呼びかける妻・金善慶さん。崔華國の激情を、優しい笑顔で包みながら、悪戯な息子を宥めるように寄り添う大きな母性の人。その奥さんとの朝のひとときの会話がきっかけで生まれた詩である。

一見、さりげない夫婦の会話のようだが、「涙なしに語れる祖国」と、「涙で語れる祖国」と、一体どちらがいいのかという永遠の問いが含まれている。

これは、これまで見てきたように暗黒の時代を生きてきた二人の会話なのである。その証拠に、

「思っても見よ　悲しみを知らない／涙のない人間どもに／祖国とはどれほどの価値だろうか」という三行が、さりげなく挿入されている。

そこで、初めに紹介した「娘に」を思い出してみよう。崔華國のアンビバレントな心情が読み取れるのではないだろうか。

つまり、「恨《ハン》につながる想いは／父さんの代でチョンにしよう」、そして五連、「花にまつわる悲歌／それらは父の代で訣別しよう」と述べた心情と、「涙で語れる祖国がよさそうだやはり／子供達のためにも……」と述べる心情のあいだにこそ、祖国、韓国への複雑に揺れる思いが横たわっているのである。

そして、崔華國の詩を読むということは、とりもなおさず、このアンビバレントな揺れる思いを読み取ることに他ならないと思う。

言葉が尽くせないが、崔華國の詩精神の一端には触れられたのではないかと思う。ちなみに崔華國は亡くなる一ヶ月前にオハイオのコロンバス韓国長老教会において洗礼を受けている。

「詩と思想　特集　崔華國生誕一〇〇年」（二〇一五年八月一日発行）掲載

問われている現在の世界

劉暁波詩集『牢屋の鼠』のこと

一九八九年六月四日に起きた天安門事件から二十五年がたつ。この天安門事件に参加した作家で詩人の劉暁波《リュウシャオボ》の日本語訳詩集『牢屋の鼠』田島安江・馬麗　訳・編が書肆侃侃房から出版された。天安門事件後、二〇〇八年に起草された「08憲章」発表直前に身柄を拘束され、翌年、国家政権転覆罪により懲役十一年の判決を下され、その後、遼寧省錦州監獄に収監されて現在に至るノーベル平和賞受賞詩人の、我が国初の本格的詩集である。

一通の手紙で十分だ――霞へ

2000年1月8日

一通の手紙で十分だよ
それですべてを超えてゆけるし
君にも話しかけられる

吹き過ぎていく風に当たりながら
夜半に僕は自らの血で
覚えておいてくれ
一つひとつの文字を
そのすべてが最後の文字と思って

君のからだの中の水が
火の神話で溶けだしてきて
悪人の視線が見守る中
怒りを石に変えるだろう

二本のレールが突然重なり
灯火に飛び込んでいく蛾は
永久にそのままの姿で
君の影になってついていく

これは詩集の巻頭に置かれたものである。「霞」というのは劉暁波の妻の名である。訳者の「あとがき」によると、「二人が出会ってから長いときを経て、固い絆と愛を育み、1996年に大連の労働教養院で獄中結婚した」とある。

詩集に付された略歴を見ると大学卒業後、教職にありながら講演活動や執筆活動をつづけていたが、民主化運動に深くかかわり、何度も投獄され、自宅軟禁を繰りかえすうち、活動もままならなくなったとある。妻の霞も同様である。

そのような困難な状況下で劉暁波が書いた詩は、すべて妻の霞に向けて書かれたものである。しかし忘れてならないのは、この詩集が『劉暁波劉霞詩選』という二人の詩選から劉暁波の作品のみを翻訳したものであるということ。

つまり、引き離されて生きる劉暁波と劉霞の往復書簡も兼ねた詩のやりとりから生まれたものということを忘れてはなるまい。それは、各詩篇に付されたサブタイトルや詞書によって容易に想像できる。

一例をあげれば、「追悼王小波――王小波のために詩を書く霞へ　1997年2月」の詞書は「親愛なる霞、君の手紙から王小波の死を知り、君の書いた詩も読んだ。運命は本当に不公平だ。なんで我々のこの麻痺した民族の中の、ごく少数の痛みを感じる良識人に対してどうしてこんなにも無情なのだろう。王小波の死によって徹底的に解脱・赦免を願う。」というものだ。

しかし劉夫妻の面会は未だに遮断されたままだ。そして妻の霞は深く病んでいる。

いつの日か、劉霞の詩集も陽の目を見ることを願うばかりである。

とまれ、劉暁波が起草したという「08憲章」とはどういうものかを見てみよう。

この「08憲章」は基本理念について次の十九の主張からなる。

一、憲法改正　二、三権分立　三、立法と民主化　四、司法の独立
五、公器公用—人民解放軍を共産党の軍隊から国軍にする。公務員の体制改革
六、人権保障　七、公職選挙　八、都市と地方の平等　九、結社の自由
十、集会の自由　十一、言論の自由　十二、宗教の自由　十三、公民教育
十四、財産保護　十五、税制改革　十六、社会保障　十七、環境保護
十八、連邦共和制度—香港・マカオの自由保護　十九、正義—名誉回復

もちろん、この憲章は文章化されたものであるが、骨子はこのようなものである。これが中国政府から国家政権転覆罪という罪を着せられて投獄されたのである。

この憲章を見ながら、戦前の軍国主義時代が彷彿させられ、今また安倍政権下において、似たような叫びが生まれていることを危惧する。

「08憲章」の主張は、現在の中国が、これらの問題をなおざりにしているからこその主張である。

しかし現在の日本にも多分に適用できる主張をふくんでいる。日本もあきらかに悪しき方向に逆行しているのである。劉暁波が獄中で起草した思いに、真剣に寄り添う覚悟がいるだろう。

表題作を読んでみよう。

牢屋の鼠——霞へ

一匹の小さな鼠が鉄格子の窓を這い
窓縁の上を行ったり来たりする
剝げ落ちた壁が彼を見つめる
血を吸って満腹になった蚊が彼を見つめる
空の月にまで魅きつけられる
銀色の影が飛ぶ様は
見たことがないぐらい美しい
今宵の鼠は紳士のように
食べず飲まず牙を研いだりもしない

1999年5月26日

キラキラ光る目をして月光の下を散歩する

この詩もまた、先に引用した詩と同様、深い悲しみに満ちている。学生たちが言論の自由を求めて結集した天安門で機関銃が乱射されてから十年後に書かれた作品である。それから、すでに十五年が過ぎた。五年の刑期を残して今も獄舎にいる劉暁波。五年後に劉暁波は本当に解放されているだろうか。

私も一人の表現者として、劉暁波の孤独と悲しみ、そして愛に寄り添いつづけなければならない。私たちは現在の世界に問われつづけているのだから。

一人、劉暁波だけではない。世界のあちこちにいる劉暁波。

私たちは劉暁波の悲しみをとおして世界のありようを問われている。ならば、私たちは言論の自由を封殺されてもめげない劉暁波の悲しみをとおして世界を問い返さなければならない。

それだけが表現者の仕事である。

二〇一四年四月、第二次「視力」五号

出合った瞬間、不意に一滴の雨だれに打たれたような驚きが身体をつらぬく詩がある。その詩は一滴の雨だれに似て私を覚醒させる。驚きは私の中で跳ねて輝きはじめ〈問い〉に変換される。その問いは、しかし全一的な生と死をふくむもので簡単に言葉に変換できるものではない。

そこで繰り返して詩を読む。詩を呼び込むために書き写す。私をつらぬいた詩の正体を知りたいのだが、なかなか納得できる答を得ることができないので応答をはじめる。

詩に問われ、詩にみちびかれながら、さらに生まれてくる問いを投げかける。問いを反復する。詩が内蔵する、言葉を超えたものが腑に落ちるまで、心が感じるまでつづける。その間、詩作品だけでなく詩人が拠って立つ思想も探りはじめる。

しかし、ヘルダーリンが「詩人は、作品が示しているよりもその内部により深いものを蔵しているとは決していえないのである。いや、他ならぬ彼の作品が芸術家の最善のものなのだ」と言っていることを想起し、理解と誤解は同義だと思い、誤読を怖れず作品に向き合ってきた。それでいいのだと自分自身を納得させてきた。

そして、作品は読み手によって千変万化するとはいえ、言葉を超えた詩の核心が私の直感を刺激し、心にひびき、腑に落ちてくるのは、結局、比喩と映像（イメージ）の力によるものだということが解ってきた。

それも決して難しい比喩でなく、言葉をもって、くきやかに造型された映像と、やさしいが的を射た比喩の相乗作用によって心が了解するのだ。

かつて、天才数学者・岡潔は「知性だけで数学を理解することは不可能だ」と言っているが、もちろん「知性だけで詩を理解することは不可能だ」と言い換えても同じこと。

結局、詩は言葉にならないものを指し示しているのだから。

そう言い聞かせて向き合ってきた詩との応答の断片が本書である。依頼されて書いたものも幾らかあるが、ほとんどは私自身が詩に問われ、詩にみちびかれることで生まれたものである。つまり、無意識のうちに私の心が表面張力を起こした詩を我が血肉にしたいがために格闘した結果である。

今、世界は未来を侵食する戦争、差別、難民などとともに増大する経済格差社会。山川草木鳥獣虫魚と自然環境の破壊。科学の進化ほど進化しない人間の所業が世界を危機に陥れている。その不条理の世界で孤独に耐えてつむがれた、これらの詩は窮地に立ちながらも自らを励まし、奮い立たせて問いを発している。

その真摯な問いは、いま、ここ、このときに存在することへの愛に根差し、未来へ一縷の望みを繋ごうとする問いである。このような態度を我がこととして受けとめること、その問いに寄り添うことで問いを更新してきた。私自身を覚醒させてきた。

この問いは、戦争経験の有る無しに関わらず、人間が存在するかぎり終わらない。現在ロシアによるウクライナへの侵攻によって第三次世界大戦さえ危惧される時代になっている。

本書収録の詩は、こうした悪意に満ちた困難な世界を生きる人々を覚醒させるために開かれている問いであろう。

できれば、これらの詩が多くの人々に共有され、個々の人が新たな問いに目覚め、覚醒にみちびかれることを願うばかりである。

著　者

略歴

本多寿（ほんだ・ひさし）　一九四七年生まれ。

詩　集　『避雷針』（一九七八）『聖夢譚』（一九八四）『果樹園』（一九九一）
『草の向こう』（二〇一三）『タケル』（二〇一五）詩選集『ピエタ』（二〇一七）
詩集『死が水草のように』（二〇一七）詩集『風の巣』（二〇一九）
詩集『日の変幻』（二〇二〇）詩集『四時刻々』（二〇二二）他。

訳詩集　韓国訳詩集『七つの夜のメモ』（韓成禮訳・二〇〇三年・文学手帳社刊）
韓国語訳詩集『ピエタ』（権宅明訳・二〇一五年・文学世界社刊）他。

評　論　『詩の森を歩く―日本の詩と詩人たち』（二〇一一）
『詩の中の戦争と風土―宮崎の光と影』南方新書1（二〇一五）

受　賞　一九九一年　第一回伊東静雄賞
一九九二年　詩集「果樹園」にて第四二回H氏賞受賞
一九九三年　亜砒酸鉱毒事件を扱った出版「記録・土呂久」により、第四七回毎日出版文化賞特別賞受賞
二〇二〇年、詩集『風の巣』にて第五三回日本詩人クラブ賞受賞。

現住所　〒八八〇―二二一一　宮崎市高岡町花見二八九四

詩に問われ、詩にみちびかれ

2023年8月15日　第1刷発行

著　者　本多寿
発行者　田島安江（水の家ブックス）
発行所　株式会社 書肆侃侃房（しょしかんかんぼう）
〒810-0041 福岡市中央区大名2-8-18-501
TEL 092-735-2802　FAX 092-735-2792
http://www.kankanbou.com　info@kankanbou.com

装　丁　acer
DTP　BEING
印　刷　宮崎相互印刷
製　本　梶本製本

ISBN978-4-86385-586-1 C0095